A Alberto con el afecto
que siempre te he tenido,
a pesar de que a veces
me he sentido preterido.

Abrazos y cariños.

Humberto Peña
6/Agosto/96

LA CASA
DEL MORALISTA

COLECCIÓN CANIQUÍ

EDICIONES UNIVERSAL, Miami, Florida, 1996

Humberto J. Peña

LA CASA
DEL MORALISTA

Primera edición, 1996

EDICIONES UNIVERSAL
P.O. Box 450353 (Shenandoah Station)
Miami, FL 33245-0353. USA
Tel: (305)642-3234 Fax: (305)642-7978

Library of Congress Catalog Card No.: 96-84336

I.S.B.N.: 0-89729-807-1

En la cubierta: casa del moralista en Pompeya, Italia.
Foto y diseño de la cubierta por Sharon Peña.

Llevaba cuatro años enseñando Derecho Romano en una afamada universidad en la ciudad en la que había nacido y en la que había vivido toda mi vida. Desde que había obtenido la cátedra, me había hecho el firme propósito de aprender latín al objeto de estudiar en sus fuentes el derecho que enseñaba y no valerme de los estudios y opiniones de otros que así lo habían hecho. Para llevar a cabo tal proyecto, aprender latín, empecé a buscar, entre los profesores de dicha lengua, el más afamado. Pronto me dí cuenta que había pocos profesores de latín y ninguno famoso, pero no me preocupé porque siempre me quedaba el recurso de carenar en algún sacerdote que conociera. No me fue muy difícil encontrar, entre estos, al profesor. Un sacerdote amigo de mi familia me recomendó a un ex sacerdote de brillante mentalidad, especialista en latín y filosofía, que vivía en una buhardilla, adonde tendría que acudir, para tomar las clases, porque el hombre no acostumbraba ir a casa de sus alumnos por, aducía, su limitado conocimiento de la ciudad.

El ex sacerdote vivía ascéticamente y desde nuestra primera clase me dí cuenta que aprendería tanto latín como filosofía y que los períodos de clases serían más largos de lo convenido, cosa que me agradaba por que me daba oportunidad de ahondar la compenetración que pronto existió entre mi mentor y yo. También me dí cuenta que de prolongarse por mucho tiempo mis clases, mi vista quedaría irremediablemente dañada pues el austero profesor no se permitía la holgura de un bombillo de más de veinticinco bujías.

Al cabo de seis meses de estudio hablaba fluentemente el latín, cosa que sorprendió al profesor y a mí pues sabía lo mucho que había tenido que estudiar el inglés y francés en el bachillerato. Un día, sin que lo pudiera presagiar, "el Incorruptible", así le llamaba al austero profesor, se negó a continuar dándome clases, "porque sabes tanto latín como yo". Sin embargo, me dijo, que como habíamos hecho tan gran amistad me llamaría por teléfono, siempre que sus obligaciones se lo permitieran, para cambiar impresiones sobre la realidad que nos rodeaba y que emplearíamos en nuestra conversación el idioma del Lacio. Sabía que necesitaría de esas llamadas por lo mucho que me había compenetrado con él.

Ya sabía latín pero había otro inconveniente casi insalvable, por lo menos por el momento, para la consecución de mis planes y éste era que, dado el magro sueldo que devengaba como profesor y los escasos honorarios que recibía en un bufete acabado de estrenar, era menester que ahorrara varios años más para poder afrontar todos los gastos que mi proyecto llevaba aparejados. Así que el viaje tendría que esperar. A todas luces el aprendizaje del latín me había llevado menos tiempo del que había calculado.

Me sentía bastante frustrado, cuando algo inesperado surgió; una noche leí en la prensa diaria que la embajada italiana ofrecía una beca para estudiar literatura italiana del medioevo, en la universidad de Roma.

Al día siguiente me presenté temprano en dicha embajada al objeto de hablar con el encargado cultural de la misma para empezar la empresa, que nunca pensé que fuera tan ardua, de convencerlo de que, al no haber en nuestra civilizada ciudad, nadie interesado en la literatura italiana del medioevo, me permitiera utilizar los fondos de la beca para estudiar por cuatro meses, período de asueto en mi universidad, a los creadores del Derecho Romano, cuyos escritos, en su mayoría, se encontraban en la biblioteca de la ciudad de Roma y en la Capitular de Verona. Después de varias horas de conversaciones disgregadas en comidas y visitas a museos a los que tuve que invitar a mi posible mecenas, al objeto de que aceptara mis pretensiones, redundando todas en un terrible fracaso, mi esposa, que me secundaba en todo, tuvo la idea de invitar al Agregado Cultural y a su esposa a una suculenta comida italiana en nuestra casa, acompañada de los más exquisitos vinos de la región napolitana. Había decidido que ésta sería la última vez que trataría de convencerlo.

El Agregado Cultural, hedonista completo, se encantó con la comida de mi esposa, con el postre y hasta con el café. Para mi esposa a ellos les debo la obtención de la beca, pero la realidad es que se la debo íntegramente a la liberalidad de la esposa del Encargado Cultural. Desde nuestras primeras salidas, había notado que me miraba algo insistentemente, pero se lo achaqué todo a la manera que, suponía, se debía de actuar cuando se pertenecía al cuerpo diplomático; pero en la noche que fueron a casa se me disiparon todas las dudas, así no se comportaría el Cuerpo Diplomático. La distinguida, que de verdad lo era, dama, encontró un placer pérfido en mancharme con su zapatico de rosa mi pantalón blanco acabado de llegar de la tintorería. Claro que podía parar la labor de la señora de muy diversas maneras y honestamente así lo quería porque nunca le había sido infiel a mi esposa, pero por otro lado estaba lo de la beca que no quería que sufriera ningún escollo. Sabía perfectamente, porque no había nacido ayer, que si aceptaba lo del pie, se expandiría la cosa. También sabía que si lo toleraba, sin que tuviera otras consecuencias, era un feo que le hacía a la distinguida dama italiana que tendría efectos nefastos para la obtención de la beca. Pensé con una frialdad, que luego me sorprendió que, aunque llegáramos a lo máximo, bien valía la pena el sacrificio. Quiero dejar aclarado que cuando digo sacrificio me refiero al sacrificio de mi fidelidad a mi esposa, en ningún modo me refiero al hecho de estar con ella, pues era una mujer atractiva y de un rostro hermosísimo. Pensaba en todo esto y en sus resultados, dependiendo de la actitud que adoptara, mientras oía al sibarita del esposo insistiendo en saber, hasta el último detalle la cantidad, pero la exacta, de salsa de esto y de salsa de lo otro, que mi esposa había echado en uno de los platos que había cocinado. De pronto noté que, para facilitar sus operaciones, la distinguida dama italiana se había quitado el zapatico y ahora, eliminado el sórdido obstáculo, llegaba a regiones puramente lascivas, fue entonces que la miré a los ojos, ella estaba esperando eso, podría decir sin mentir, que lo esperaba con ansiedad, me sonreí y le guillé un ojo. Ella me devolvió la sonrisa y el guiño. El pacto estaba sellado. De inmediato se dispuso a cumplir su parte del convenio, le cogió la mano a su esposo para interrumpir su insulsa conversación, aunque a mi esposa le encantaba pues continuaba elogiando sus habilidades culinarias, y le dijo, "¿cuándo vas a darles la buena nueva?" El esposo se quedó anonadado, no sabía a lo que ella se refería. Ella se levantó y suavemente posó sus voluptuosos labios en la oreja del esposo.

Éste cambió visiblemente de color y vaciló para decirlo, pero haciendo un esfuerzo extraordinario, pudo al fin hablar. Yo de antemano sabía lo que diría y ya estaba contento pero muy contenido. Al fin dijo, disculpándose, que la culpa de no haberlo dicho antes la tenía indirectamente mi esposa por lo bien que cocinaba, pero que quería informarnos que se había decidido en la embajada concederme la beca de estudios en Roma. Mi esposa se levantó y casi sin aliento les dio las gracias y vino hacia mí para darme un beso, se lo devolví, noté algo judaico en mi beso. La dama italiana dio un beso a su esposo y otro a mí, el mío en la boca, pero mi esposa estaba tan contenta que no se dio cuenta y él, ya estaba paladeando el napoleón que mi esposa le había servido.

Tenía pocos días para prepararlo todo y comprar los pasajes y maletas adecuadas para viajes largos, pues las que teníamos eran muy pequeñas, útiles sólo para nuestros viajes de fin de semana que eran los únicos que dábamos. Por todo ello decidí empezar todas las gestiones bien temprano al día siguiente.

Cuando desperté con el sonido del despertador, ya mi esposa le había comunicado todo a su mamá, a la mía, a dos de sus íntimas amigas y se disponía llamar a la tercera. No la interrumpí para que me preparara el desayuno porque temía que la gentil dama italiana llamara. Calenté el café que había sobrado la noche anterior y tomé dos tacitas, le di un mordisco al postre que también había quedado de la noche anterior y después de darle un beso a mi esposa salí para empezar las gestiones que tenía que realizar para el viaje que nos esperaba.

Nuestras vidas habían cambiado totalmente en un minuto y se mantendrían cambiando durante los próximos cuatro meses. No había dormido casi nada, no había podido olvidar a la esposa del mecenas, era una obligación tácita y la cumpliría aunque sabía que me amargaría por un tiempo, pero Dios bien sabía que no lo había buscado y rogaba que mi esposa nunca lo supiera.

Estuve todo el día de un lado para el otro y sólo fui a la oficina para informar de mi gran triunfo a mis compañeros de bufete, los cuales se alegraron sinceramente. Llamé en dos oportunidades a casa sin lograr comunicarme con mi esposa, seguramente estaría informando al resto de sus amigas sobre nuestro viaje.

Cuando llegué a casa, al anochecer, me recriminó por no haberla llamado y cuando le dije que lo había hecho dos veces infructuosamente, me contó que no había podido separarse del teléfono, pues al regarse la noticia, todas sus amigas la habían llamado. Me dijo que tendría que salir al otro día para buscar en revistas lo que estaba de moda en Italia para comprarse la ropa apropiada y no hacer el ridículo. En ese momento vi nuestras limitadas reservas económicas disminuyendo enormemente, pero nada podía hacer, por lo menos por el momento. Cuando terminábamos de comer llamaron por teléfono, ella se levantó corriendo para contestar la llamada, era la mecenas. Quería hablar con los dos para felicitarnos nuevamente y decirle a ella la ropa que debía llevar, las horas de las tiendas, los teatros principales y las salas de conciertos a las que no podíamos faltar. Después de hablar por quince minutos, pidió hablar conmigo. Sin preámbulo alguno mencionó un restaurante en las afueras de la ciudad y me dijo que le gustaría almorzar conmigo allí al día siguiente y que me esperaba a la una.

Dormí mal, como lo mirara iba a traicionar a mi esposa, cosa que nos habíamos jurado nunca hacer mientras fuéramos felices el uno con el otro y cuando dejáramos de serlo nos separaríamos, sin ensombrecer el amor que nos habíamos tenido en una oportunidad. Todos los días nos preguntábamos si éramos felices. Lo éramos, y por eso me sentía tan mal. Le diría a la mecenas en el almuerzo que estaba enamorado de mi esposa, que nunca la traicionaría y que hiciera lo que quisiera.

Así me quedé dormido, pero cuando me desperté a la mañana siguiente, ya no estaba tan seguro de lo que iba a hacer. Me fui temprano para el bufete, tenía que repartir los casos que tenía pendientes, en el supuesto caso que en definitiva fuera a Italia, entre mis compañeros de bufete, según lo habíamos acordado. También quería terminar la contestación a la demanda en un juicio de divorcio que me había ocasionado innumerables inconvenientes.

II

A las doce partí hacia el restaurante en donde tenía la cita. En el camino no podía pensar en otra cosa, aunque ya mi decisión de no traicionar a mi esposa no era tan firme como lo había sido anoche. Ahora había encontrado otra excusa para traicionar mis convicciones y ésta era que mi esposa estaba tan contenta con el viaje que se necesitaría ser un sádico para decepcionarla. Claro que la solución, en este último caso, sería preguntarle a ella, pero esta solución era tan ridícula que enseguida la deseché. El viaje me pareció corto y esto fue porque no quería llegar. No era la una todavía y decidí ir a la barra para refrescarme con un daiquirí. Estaba tomándolo plácidamente cuando sentí la presión de una mano en el hombro. No quería mirar, había llegado el momento en que tenía que decidirme definitivamente. Cuando me viré, grande fue mi sorpresa, era, el Incorruptible. Hacía tiempo que no lo veía, aunque hablábamos a menudo en latín por teléfono. Se sentó muy pausadamente, y sin ninguna turbación pidió al camarero que le sirviera un vaso de agua. A simple vista se podía determinar que era un ex sacerdote y sabio y que poca o ninguna importancia daba a su aspecto externo. Estaba vestido con un traje que alguien, que era tres veces más ancho que él, le había prestado o regalado. El nudo de la corbata era tan grueso que cubría parte de las punteras del cuello de la camisa, todo él parecía estrafalariamente horrendo. Mientras hablaba de que en los últimos dos días había tratado de comunicarse conmigo pero que el teléfono siempre daba ocupado, pensaba en cómo tanta cultura y bondad podía encerrarse en tan extravagante ser, y en el por qué de mi profundo cariño y admiración por él. Entonces le oí decir algo sobre que se había sacado la lotería al día siguiente de habérsele resuelto todos sus problemas espirituales y que por eso quería hablar conmigo, porque deseaba darme parte de lo que se había sacado para que pudiera ir a Roma a estudiar a los creadores del Derecho Romano. No podía creer lo que estaba escuchando, dejé la copa de daiquirí en la barra y le pregunté que cómo era que él se acordaba de eso, que hacía mucho tiempo que no hablábamos de ello.

—Me acuerdo porque a usted le tengo un gran afecto y sé que quiere hacer lo que no ha hecho tanto charlatán que nos gastamos por aquí. También debo decirle que me impresionó su brillante mente para la filosofía y para el latín que es tan extraordinariamente difícil. Además, sé perfectamente quién me ha mandado mensualmente la misma cantidad de dinero que le cobraba por las clases de latín. No, no lo niegue ni se turbe. Si supiera que hace sólo unos días pensaba en cómo sintiéndome tan allegado a usted, no le había contado nada de mi vida. Quiero también que sepa que he apreciado en mucho su prudencia al no inquirir nada sobre ella.

—Quizás la razón por la que no le he contado nada de mi vida sea por el terror que siempre he tenido a que sientan lástima por mí y cuando nos conocimos y, hasta hace poco, estaba atravesando por una terrible crisis espiritual, que en definitiva, son las verdaderas y únicas crisis. En esta terrible crisis de fe que sufrí y que duró varios años, el único compañero que me ayudó espiritual y materialmente, quitándose de lo poco que tenía para aliviar mis penurias, fue el sacerdote que me recomendó a usted para las clases de latín, y siempre lo hizo de un modo elegante, sin herirme. Ya usted ve, el único de un grupo forjado en la caridad. Yo era el apestado, nadie quería saber de mí. Sí, sufrí mucho, tanto que no quisiera ver a nadie pasar por lo mismo. La crisis fue superada por un milagro, un milagro por el que recé mucho para que se produjera.

No dejé los hábitos por cuestión de mujer. Quiero mucho a Jesucristo para que esto se pudiera interponer en mis relaciones con Él. Todo pasó inesperadamente. Un día en que decía una misa por el alma de mis padres, en el momento de la consagración, en el preciso instante en que repetía la frase dicha por Jesús cuando tomó el cáliz y dando gracias, se lo dio a sus discípulos: "Beban de él todos, que ésta es mi sangre del Nuevo Testamento, que será derramada por muchos para remisión de los pecados", dudé. Dudé que el pan y el vino se convirtieran en cuerpo y sangre de Cristo sin cambiar sus apariencias. Por tres días me dediqué por completo a estudiar todo lo escrito al respecto. No pude dejar de dudar. Pregunté, consulté. Nada. Sufrí como nunca antes había sufrido. Nunca había tenido dudas de mi vocación, desde muy joven me supe llamado al sacerdocio. Estudié el bachillerato para estar más tiempo con papá, el cual había hecho una serie de planes para mí. Aunque él era católico sabía que recibiría un golpe terrible cuando le comunicara mis proyectos. El día de mi graduación de bachillerato, aprovechando lo contento que se encontraba, se lo dije. No se opuso, pero nunca me fue a ver al seminario. Sólo mamá y la ama de llaves, a la que mi hermana y yo llamábamos Peluca, me iban a ver. Cuando iba a casa, papá hacía todo lo posible para que me diera cuenta que mi presencia no era de su agrado. Yo lo comprendía y pedía a Dios que él me comprendiera antes que fuera demasiado tarde.

Meses antes de finalizar mis estudios, llamaron de casa, mi padre se había enfermado gravemente y quería verme antes de morir. Me permitieron ir de inmediato. Cuando llegué a casa, mi padre dormía. Fui hasta la cama y le di un beso, no se despertó. Cuando salí de su habitación le dije a mamá que no notaba que estuviera tan grave. Mamá, sin poder contener el llanto, me hizo la historia de su enfermedad. Me dijo que había estado varios días sin poder retener alimento alguno, todo lo vomitaba. Después de mucho insistirle logró convencerlo de que fuera al médico. Éste no le encontró nada malo, pero le recomendó que fuera a un especialista en vías digestivas. Ese mismo día por la tarde lo había llevado al especialista y éste, después de reconocerlo se había mostrado elusivo en contestar sus preguntas sobre el estado de papá. Sólo contestaba que se debían esperar los resultados de los análisis que le había mandado a hacer para determinar la naturaleza de su mal. Ante su insistencia le había dicho que debía estar preparada para lo peor. Desgraciadamente su vaticinio se confirmó.

Me aclaró que él no sabía nada, y mientras ella pudiera evitarlo, nunca sabría nada pero, sin embargo, dijo, él había insistido en que llamara al seminario con la noticia de su suma gravedad porque, decía: "que ésta era la única forma en que te dejarían venir a verlo, pues tenía gran interés en hablarte de algo importante." Ella lloraba copiosamente, yo, como cuando niño, le acariciaba las manos, así pasamos largo rato. Pregunté por mi hermana y mamá me dijo que ella era la que se estaba ocupando de todos los negocios y que llegaba tardísimo de la oficina.

Me acosté, estaba muy cansado del viaje, además me gustaba tanto dormir en mi cuarto, rodeado por los libros dejados y que fueron mis primeros amigos, la raqueta de tenis regalada por papá y que nunca usé, el cubilete que papá me había regalado cuando con un placer extraordinario me pagó la primera cerveza que tomé en mi vida. Nunca supo, que me había caído tan mal que no he tomado otra. Aunque hacía calor me tapé con mi frazada de siempre. Me quedé dormido al instante.

Al día siguiente me despertó Peluca, de la que ya le hablé, que había estado con la familia mucho antes que yo naciera y a la que le tenía un gran cariño. La llamábamos así, porque un día descubrimos, mi hermana y yo, que estaba completamente calva y que usaba peluca, esto me sorprendió sobremanera y cuando al día siguiente le pregunté a mamá por qué Peluca estaba calva, me contestó que siendo muy niña le había dado un tifus muy malo que le había provocado la pérdida de todo el cabello. Me dio un beso, me había traído el desayuno el cual compartí con ella. Me dijo que me extrañaba mucho pero que se alegraba que hiciera lo que me hacía feliz y que me pedía que rezara por todos ellos especialmente por mi padre y hermana. Me dijo que siempre se acordaba de mí y de mis peleas con mi hermana por querer, ella, cortar las flores de las matas a lo que me oponía por considerarlo un crimen. Me reí, ella no sabía que seguía pensando lo mismo y que muchas veces en mis largas meditaciones, venían a mi mente aquellas trifulcas con mi hermana. Le pregunté por ella y ya se había ido a la oficina.

El camarero me preguntó si quería repetir el trago y le dije que sí, que me trajera otro daiquirí. Desde la barra se veía por un espejo todo el comedor, la distinguida dama no había llegado. "El Incorruptible" miraba al comedor con insistencia, esperaba a alguien. Esta vez se permitió el lujo de pedir un café, el camarero me miró extrañado, pero él siguió hablando como si no hubiera sido interrumpido: —Me levanté y bañé, pero ya no usé agua caliente, mi cuerpo se había acostumbrado a los baños fríos del seminario. Bajé al comedor donde mamá estaba rezando su primer rosario del día. Me dijo que me estaba esperando para desayunar. Nunca lo había hecho, no teníamos costumbre de desayunar en familia. Me senté y ella pidió a Peluca que trajera el desayuno. Le hice señas a Peluca para que no dijera nada y volví a desayunar con mamá. Me dijo que me iba a pedir una cosa muy importante, y sin darme tiempo a nada, me pidió que suspendiera mis estudios hasta que papá muriera. Le dije que eso era imposible hacerlo. Quería terminar mis estudios que tantos años me habían tomado y tantos sacrificios me habían costado, cuanto antes y dedicarme por entero a ayudar al que nada tenía, hacer todo por los que nunca habían sentido el cariño de alguien, llevar a todos el amor de Cristo y en la primera misa que dijera darle a ella y a papá la comunión. Sería como volver a nacer, era lo deseado por mi desde siempre, y qué razón iba yo a esgrimir para suspender mis estudios, ¿los caprichos de papá? Sólo me contestó que lo haría feliz en los últimos días de su vida.

Después del desayuno fuimos a ver a papá. Se puso contento cuando me vio, su aspecto mejoró a simple vista. Estuvimos hablando mucho rato los tres hasta que papá le pidió a mamá que nos dejara solos. Temblé, sabía de lo que me iba a hablar y quería evitarlo; pero nada podía hacer. Una vez solos, me pidió que lo acomodara en la cama y empezó a hablarme de su padre cuando llegó de tierras lejanas, de cómo había hecho un capitalito y de cómo él lo había multiplicado por cien con un esfuerzo extraordinario que había sorprendido a su propio padre entonces retirado. Me dijo que desde que yo había nacido quería que fuera parte muy importante de lo que él había hecho con tanto tesón, ya que en definitiva lo había hecho por nosotros. Su idea había sido, me explicó, que yo, a la hora de su fallecimiento, "que ya se acercaba", me hiciera cargo de todos los negocios, pasándole a mi hermana lo que le correspondiera mensualmente. Quise interrumpirlo y tratar de explicarle lo que para mí significaba el sacerdocio, pero fue inútil, todo lo tenía preparado y hasta ensayado en su mente. Había dejado de oirlo pensando en como salir de esta situación que me era tan desagradable. Lo veía enfermo, desvalido, él que había estado siempre tan orgulloso de su fuerza física. Pensé ceder y dejarlo todo para estar a su lado para confortarlo, para que muriera sintiéndose orgulloso de mí. Pero me vino a la mente aquel pasaje del Evangelio en el que se narra que caminando con Jesús grandes multitudes, Éste dirigiéndose a ellos, les dijo: "Si alguno quiere venir a mí, y no deja a un lado a su padre, a su madre, a su mujer, a sus hijos, a sus hermanos, a sus hermanas, o aun a su propia persona, no puede ser mi discípulo. El que no carga con su cruz para seguirme, no puede ser mi discípulo. . . " No podía sacrificarme, me lo impedía el propio Jesucristo. Noté que había dejado de hablar y que esperaba una respuesta mía a una pregunta que nunca sabré cual fue. Ante mi silencio reaccionó con una ira incontrolable desconocida por mí. Tiró una de las almohadas al suelo y me llenó de improperios. En su diatriba me dijo que primero había creído que era homosexual porque me había mandado una muchacha pagada por él para que estuviera con ella y yo la había rechazado. Recordaba perfectamente el incidente. Aquel día era el del último examen del tercer año de bachillerato.

Salía del colegio con un amigo como pocos pueden haberlos, nos conocíamos desde el primer grado, además de amigo era mi confidente y el único, exceptuando a mi confesor, que sabía de mi propósito de entrar en el seminario tan pronto terminara el bachillerato. Caminábamos rumbo a su casa cuando una hermosa muchacha se nos unió. Empezamos a hablar, de cine y de la película que estaba en boga entonces, "Casablanca", noté el gran parecido de la muchacha con Ingrid Bergman, estaba peinada lo mismo que ella en la película y hasta la imitaba en sus gestos. Todos en casa sabían de mi predilección por la Bergman. Nos pidió que la acompañáramos a casa de una amiga que tenía los últimos discos de Glenn Miller y Frank Sinatra, mis dos preferidos. Llegamos a la casa de la amiga y sin tocar a la puerta ni utilizar llave, entramos a la casa. Todo parecía nuevo, los muebles, el tocadiscos, los vasos en que sirvió sendos cubalibres, todo. Entonces puso la pieza que más me gustaba de Glenn Miller: "Moonlight Serenade", y me invitó a bailar. Nunca había bailado ni había ido a ningún baile, por eso me resultó embarazosa la situación. No sabía qué decirle. Entonces mi amigo funcionó como ángel salvador, se levantó y separándola de mí le dijo que yo no sabía bailar, pero que él era "el maestro". Bailaron esa pieza y nos pusimos a conversar. Al poco rato ella pidió permiso para ausentarse. Desde el fondo de la casa me llamó. Siguiendo la voz la encontré, y sin mediar palabras me abrazó. Me quiso besar, yo le pude aguantar la cara y decirle que, aunque ella me gustaba mucho, yo sólo pensaba en Cristo como mi acompañante eterno y que por favor comprendiera esto. Regresé adonde mi amigo y al poco rato nos fuimos. Después de tantos años, comprendía la razón de tan ridículo episodio.

Luego, siguió diciendo mi padre, me di cuenta que era un problema religioso. Me gritó que cómo teniendo todo el dinero que quisiera, prefería vivir de limosnas. Que si quería saber más que nadie que me fuera a universidades extranjeras a estudiar, latín, griego, eso que ya nadie usa ni a nadie interesa; pero siempre pensando en un regreso, a lo mío, a darle nietos, a que la estirpe y el apellido no se extinguiera. Me dijo que nunca había comprendido a los curas, que no sabía qué hacían ni le interesaba. Con un último esfuerzo me pidió que le dijera una sola cosa que hubieran hecho los curas. Con la cabeza baja y sin mirarlo le dije que amábamos a Dios por los que no sabían amarlo y que perdonábamos a los que no sabían perdonar. Dejándose caer en la almohada, estaba exhausto por el esfuerzo realizado, dijo como hablando consigo mismo: "ya se considera uno de ellos". Sí papá, le dije, dentro de seis meses seré uno de ellos y tú irás a mi ordenación. Cerró los ojos y al poco rato se quedó dormido. Salí de la habitación, mamá me esperaba al lado de la puerta. Estaba lívida, no podía comprender cómo yo no complacía a "tu pobre padre".

Al siguiente día me despedí. Cuando le dije adiós a mi padre noté que se mantuvo sonriendo los diez minutos que estuve con él. Deduje que había comprendido que era inútil toda oposición a mis planes y que se había avenido a los mismos. Me marché contento y dispuesto a terminar mis estudios y hacerme sacerdote y cuando mis superiores lo estimaran, especializarme en filosofía que era lo que más me había gustado en el seminario. Nunca pude pensar que la sonrisa de papá se debía a que creía que poseía una carta de triunfo sobre mí.

Me ordené como sacerdote pero desgraciadamente ya mi padre había muerto. Sólo acudieron a mi ordenación mamá y Peluca. Mi hermana tenía una urgente junta de negocios . . . un domingo. Al siguiente día dije mi primera misa y dí la comunión a mamá y a Peluca, las dos personas que más había querido y quería. Dije mi primera misa por el alma de papá y por la de aquel amigo de la infancia. Había muerto muy joven, es decir, se había suicidado. Lo supe por la única carta que recibí de él.

La noche antes de ingresar en el seminario, me invitó a comer. Me dijo que fuera bien vestido, con cuello y corbata. Fuimos a un restaurante elegante. Habló mucho y me dijo que lamentaba profundamente no tener vocación sacerdotal y que envidiaba profundamente mi fe. Dijo que sabía que yo sería un hombre feliz y que sin embargo él, siendo tan joven, estaba ya cansado de vivir y de ver tantas traiciones e injusticias. Me dijo que no sabía qué haría pero que sí sabía que no seguiría estudiando con profesores que no eran más que "ilustres desconocidos", como él los llamaba. Después de varios meses de estar estudiando en el seminario recibí su carta, que aún guardo y que he leído varias veces. En ella me decía que se había alistado en uno de los ejércitos aliados para combatir las dictaduras fascistas de Hitler y Mussolini. Me contaba que, en el frente, habían mezclado a su compañía con soldados rusos que habían sido liberados de los campos de prisioneros nazis. Se había hecho amigo de uno de ellos y que se había quedado horrorizado con lo que éste le había contado: los soldados rusos preferían los campos de prisioneros nazis a vivir en el presidio que era la Unión Soviética. Me contaba que no conocían lo que era libertad y que se vivía con el constante terror que por una simple denuncia de ser enemigo del régimen se fuera a parar a un campo de concentración en Siberia, en donde después de cumplida la sentencia, si alguna vez se cumplía, uno se convertía en un paria sin derecho ni a trabajar. Terminaba la carta preguntándose cómo las naciones occidentales podían ser aliadas de una dictadura que, en el mejor de los casos, era tan mala como las fascistas a las que se estaba combatiendo. En una postdata, lúgubre y sombría, me anunciaba su próximo suicidio. Moví cielo y tierra para tratar de comunicarme con él y evitar que llevara a vías de hecho sus planes suicidas, pero todo fue inútil. A las tres semanas la mamá, atribulada, me informó del suicidio en Europa de su hijo. Este había desertado del ejército y buscado refugio en una casa de campesinos, los ayudaba en las labores agrícolas que, a pesar de tanto desastre que los rodeaba, todavía realizaban. Allí, una mañana, había súbitamente dejado el trabajo que realizaba, había sacado la pistola de reglamento que llevaba en el bolsillo del pantalón que le había prestado la familia que lo tenía oculto y, delante de todos, se había suicidado. Nunca, su familia pudo hacerse de su cadáver a pesar de lo mucho que lo reclamaron. — Tenía los ojos llenos de lágrimas y por segundos no pudo continuar hablando. Me sentía completamente abatido por el relato del Incorruptible, quise llorar con él, nunca antes me había sentido tan unido a nadie. Me despreciaba por lo que estaba haciendo en ese restaurante, esperando a una mujer, que no era la mía, para estar con ella y todo por dinero, a eso se reducía todo. Aproveché el silencio del Incorruptible para buscar, sintiendo un desprecio infinito hacia mí mismo, en el espejo que dejaba ver todo el comedor, a la gentil dama italiana, pero todavía no había hecho acto de presencia. A lo mejor no venía y así todo saldría bien. —Lo de mi hermana es distinto, —me sacó de mis cavilaciones la voz, ahora lastimera, del Incorruptible. —Ella, la pobre, siempre tuvo a la mentira como su gran arma y a la simulación como escudo para ocultar su débil carácter.

Papá murió con la idea de que ella suplantaba al hijo que había perdido. Ella se lo hizo creer así o, quizás, él quiso creerlo. En mi visita a casa, estando papá enfermo, fui a verla a la oficina, donde me habían dicho que estaba, y el administrador de papá y socio en algunos de sus negocios, me dijo que se alegraba mucho de verme porque tenía que decirle a alguien de mi familia, y a quien mejor que a mí, que mi hermana casi no iba a la oficina, y que le había pedido grandes cantidades de dinero. Al principio, se las daba pero posteriormente había descubierto como evitar que ella le pidiera más dinero, pero que temía que cuando papá muriera, ella, ya con autoridad suficiente, emprendiera una política de gastos alegres que llevara a nuestra familia a la ruina. Traté de hablar con mi hermana pero ella procuró con éxito evitarme. Desde el seminario le escribí varias cartas aconsejándole sobre como llevar una vida que fuera del agrado de Dios y además le recordaba a mamá y de su completo y total desamparo si la fortuna de papá fuera dilapidada. Nunca me contestó, pero Dios quiso que el administrador y socio de papá, interviniera de modo definitivo no sólo para salvar los negocios en los que él tenía intereses, sino casi toda la fortuna de papá. Todo lo que hacía en beneficio de mamá me lo comunicaba a mí en cartas que me mandaba al seminario. Eran las cartas más insulsas que jamás alguien haya recibido, pero se lo agradecí infinitamente pues gracias a él, mi madre terminó sus días sin problema económico alguno y hoy mi hermana vive muy holgadamente y nunca ha sabido lo que es tener necesidades materiales.
Cuando papá murió su gran carta de triunfo, entonces me di cuenta, fue dejarme una ínfima cantidad de dinero, sólo lo suficiente para que no pudiera tratar de invalidar el testamento. Además hacía saber en el testamento, que él no dejaba su

dinero, que había hecho con grandes sufrimientos y trabajos, a quien no se lo merecía y que, por otra parte, traspasaría a órdenes religiosas por las cuales él no sentía ningún respeto. Cuando salíamos del bufete donde se leyó el testamento, le dije al administrador y socio de papá, que traspasara a mamá la ínfima cantidad que me había dejado mi padre. Él me dijo que a pesar de lo que dijera el testamento, él se las había arreglado para que yo recibiera la misma cantidad mensual que mi hermana, pues todo el dinero lo había traspasado a un trust, con instrucciones firmadas por papá en las que se estipulaba que, a la muerte de él las utilidades anuales se repartirían a partes iguales entre nosotros tres: mamá, mi hermana y yo, y que todo esto me lo había informado previamente en sus cartas. Agregó que lo estipulado en el testamento, tenía validez en lo invertido en pequeños negocios, pero no en lo más sólido del capital. Le dije que entregara a mamá íntegramente la parte mía y le agradecí todo lo que había hecho por nosotros. Una vez ordenado sacerdote fui designado a auxiliar, en su arduo trabajo, al párroco de una iglesia de campo, hasta que mis superiores determinaron mandarme a Roma a especializarme en Filosofía y Teología que era el gran sueño de mi vida. Allí pasé muchos años. Nunca recibí carta de mi hermana ni para anunciarme la muerte de mamá, de la que me enteré por la carta de pésame del administrador de bienes. Nunca podré olvidar aquel día, me pasé la tarde entera en la capilla rezando por mi hermana, ¿cómo podía llegar a tales extremos? Le escribí una carta en la que le decía que el dolor causado por la muerte de un familiar tan allegado, disminuía cuando los deudos se mantenían en contacto compartiendo la pena. Además le pedía que reciprocara el inmenso amor que Jesucristo sentía por ella y por todos nosotros y que nunca abandonara la fe en la que había sido criada. También le informaba que le había dado instrucciones al administrador para que le entregara a ella la mitad de la anualidad que me correspondía y que estaba recibiendo mamá, la otra mitad iría a parar a manos de Peluca hasta que muriera. Sabía de la animadversión que sentía mi hermana por Peluca y sabía que, cuando de ella dependiera, Peluca no seguiría viviendo en la casa. Como de costumbre, no me contestó. No supe nada más de ella. Cuando terminé mis estudios tuve la suerte que me mandaran a mi patria como profesor en una universidad de mi orden. Cuando llegué a mi patria lo primero que hice fue llamar a mi hermana. Contestó al teléfono una voz desconocida, le pregunté por mi hermana, me dijo que no estaba. Entonces pregunté por Peluca y la voz me dijo que ya no trabajaba allí y que por lo tanto tampoco vivía allí. Indagué por su dirección, contestándome que la ignoraba. Le rogué que por favor le dijera a mi hermana que yo la había llamado y le dí el teléfono donde podía localizarme. Pasaron algunos días y al no recibir llamada de mi hermana volví a llamarla, esta vez me contestó una voz metálica diciendo que el número de teléfono al que llamaba, que siempre habíamos tenido, había sido cambiado por uno privado. No insistí más aunque le diré que no ha pasado un día en que no haya rezado por ella. Llamé a la oficina del administrador de los bienes de papá y me informaron que el antiguo administrador había muerto y que ahora el jefe de la oficina era un sobrino de él. Pedí a la persona que me atendía que por favor buscara el legajo correspondiente a mi familia. La muchacha titubeó. Me identifiqué y le dije que sólo quería saber la dirección de una señora que había trabajado como doméstica en nuestra casa. Me pidió que esperara un minuto, cuando habló de nuevo me preguntó que cómo se llamaba la persona por la que indagaba. Sólo me acordaba de su primer nombre, Julia, del apellido no me acordaba. Entonces la muchacha me dijo que en el legajo constaba que una antigua doméstica receptora de una cantidad mensual de la herencia, había muerto. Le pregunté que si constaba la fecha del fallecimiento. Le tomó un tiempo el hallarla. Había muerto hacía un año. Nunca recibí noticias de ella después que mamá murió, la pobre nunca había aprendido a escribir.

Cuando mi gran crisis de fe, anhelé mucho el poder ver y hablar con mi hermana, pero sabía también que me evitaría. Supe que al enterarse que había dejado el sacerdocio, por miedo a que le pidiera la parte que me correspondía de la herencia, se embarcó para Europa.

En aquel cuartucho en la azotea de una casa en la llamada parte vieja de la ciudad he vivido los momentos más intensos de mi vida. Allí me dediqué a buscar a Dios de nuevo, a estudiarlo, a investigarlo y sí, a pedirle un milagro: que encontrara la fe de nuevo. Decía misa todos los días porque siempre consideré que ése era un derecho que Dios me había dado, por lo menos, a decirla en privado. En ella pedía a Dios que me devolviera la fe que, inexplicablemente para mí, me había quitado. Fue una etapa desastrosa pero que, sin embargo, me sirvió, para querer más a mi prójimo, si posible fuera, y para darme cuenta de lo intrínsecamente buena que es la gente. La señora de los bajos siempre me llevó un plato de comida y mi querido hermano, el sacerdote amigo de su familia, fue constante en su ayuda espiritual y también material, dándome algo de su magro sueldo y buscándome clases particulares. Hasta trigonometría enseñé. El padre de uno de los niños a quien enseñé esta ciencia, tan agradecido me quedó que, cuando su hijo se graduó de bachillerato, me regaló treinta pedacitos de billetes. Mi número salió en el primer premio. He repartido dieciocho pedacitos entre los que fueron buenos conmigo y a usted le reservé doce, para que pueda realizar su sueño de ir a Roma a estudiar. No, por favor, no me diga nada. Aunque nunca he sido amigo del dinero, ahora lo soy menos. Aquí tengo los pedacitos de billetes para dárselos. La Providencia quiso que lo viera hoy y pudiera entregárselos personalmente. Claro que no sabía que iba a verlo, pero los traje para dárselos al sacerdote amigo de su familia con el cual estoy citado aquí y el que me llevará a hablar con el Obispo, con el que está reunido ahora ahí enfrente, en el seminario, para resolver todo lo referente a mi reingreso a la orden. Sé que tendré que hacer penitencia por un tiempo o por toda la vida, qué más me da si soy feliz.

—Padre, noté que le gustó ese tratamiento, antes siempre se había opuesto al mismo, no sé si sabrá que la embajada de Italia me ha concedido una beca...

—Sí ya sé, lo leí en el periódico, pero Ud. no conoce lo que yo conozco de las ayudas económicas prometidas por los gobiernos; pura propaganda y al final nada. Le hacen pasar mil vicisitudes y necesidades en un país extranjero, sin conocer a nadie . . . Hágame el favor de coger estos billetes. Estoy seguro que hará un buen uso de ellos.

—No sé, Padre, como agradecerle tan extraordinario regalo y sólo le digo que en todas mis oraciones seguirá estando presente Ud.

—¿Ha rezado Ud. por mí?

—Desde que lo conocí y me di cuenta que sufría. Ahora me alegro infinitamente que haya alcanzado nuevamente la fe, hecho al que Ud. llama milagro y yo llamaría justicia.

—No, no me ha comprendido Ud. El milagro se produjo, lo vi, fue algo extraordinario. Claro que dirán que fue autosugestión, que tanto lo deseaba, que lo vi ~~sin~~ que se hubiera producido. Todo fue extraordinario. En la misa que dije en mi cuartucho hace una semana, en el momento de la consagración, en el mismo momento en que había dudado, en el momento en que con el cáliz en mis manos repetía las palabras de Jesús: "Bebed de él todos, que ésta es mi sangre del Nuevo Testamento, que será derramada por muchos para remisión de los pecados". En ese preciso momento vi caer del cáliz varias gotas de sangre que fueron a dar al pedacito de pan que ya había sido consagrado y que estaba debajo del cáliz. Me arrodillé y estuve con los ojos cerrados por algún tiempo pensando en la maravilla que acababa de pasar, en lo poco que yo era y en la responsabilidad que ahora tenía. Abrí los ojos nuevamente y vi las gotas de sangre sobre el pan como si hubieran acabado de caer, no habían sido absorbidas por el pan. Permanecí de rodillas rezando toda la noche y al pararme al alba, todavía estaban allí, sobre el pan, intactas, las gotas de sangre de Cristo. El resto ya Ud lo sabe.

Se aproximaba a nosotros el sacerdote amigo de mi familia, venía radiante de felicidad. Me dio la mano sin mirarme y después le dio un efusivo abrazo al Incorruptible y le dijo, "todo salió bien. Te quiere ver de inmediato". El Incorruptible me dio un abrazo de despedida y me dijo: "En su viaje, una vez terminados sus estudios, no deje de ir a Pompeya."

Ahora estaba solo, pensaba que otro milagro se había producido: la dama italiana no había acudido a la cita. Salí del restaurante por el fondo sin haber almorzado, no quería encontrármela en el último minuto. Estaba contento, con una gran tranquilidad espiritual. Caminé al parqueo y, como siempre me pasaba, no me acordaba dónde había parqueado, pasé varias lineas de automóviles hasta que finalmente di con el mío. No me había dado cuenta que parqueado al lado de mi automóvil se encontraba el de la dama italiana, y nunca lo habría sabido si ella no me hubiera llamado la atención. Con una voz muy suave, me dio disculpas por no haber entrado en el restaurante para almorzar explicándome que al llegar había visto entrar a un funcionario de la embajada italiana y decidió, para evitar complicaciones innecesarias, esperarme en el parqueo. Ya no necesitaba la beca y por tanto tampoco a ella, pero sentí una profunda lástima por ella y por su pequeño mundo y lo comparé, sin proponérmelo, con el extraordinario del Incorruptible. Entré en su automóvil y me dijo que ella prefería ir en el mío. Le dije que no iríamos a ningún lado. Pude ver en sus hermosos ojos verdes reflejado el desencanto. Entonces le conté, midiendo mis palabras para no herirla más de lo necesario, todo lo que había pasado por mi mente desde aquella noche de la comida en mi casa y terminé diciéndole que no estaba dispuesto a manchar mis relaciones con mi esposa, relaciones que eran muy importantes para mí. Le expliqué que había acudido a la cita al sólo objeto de explicarle todo esto a ella y además darle disculpas por haber alentado sus ideas. Ya con la puerta abierta le dije que le agradecía mucho lo que había hecho por mí, en todos los órdenes, y le rogué que me considerara un amigo. Su única respuesta fue un "ciao" amargo y casi inaudible.

Antes de regresar a casa, como eran mis planes, fui al banco a depositar en la cuenta corriente los billetes premiados regalados por el Incorruptible. Como siempre no encontré parqueo, entonces decidí parquear en donde siempre lo hacía para ir al bufete que no estaba a más de cinco cuadras del banco. El depositar los billetes premiados fue más fácil de lo que creía y, a lo mejor fue idea, la cajera me atendió con más respeto y consideración que cuando depositaba mis ingresos mensuales. Salí del banco y como estaba tan cerca del bufete decidí ir a visitar a mis compañeros. Mientras caminaba hacia el bufete, pensaba en que ahora era completamente feliz porque fuera con beca o sin ella, no traicionaría a mi esposa.

Cuando llegué al bufete me dieron el recado de que el Embajador de Italia nos había invitado a mi esposa y a mí a una recepción que tendría lugar en la embajada y que en la misma quería entregarme todos los documentos relativos a la beca. Me pedían que llamara a la embajada tan pronto me fuera posible para confirmar nuestra asistencia. Llamé a casa para contarle a mi esposa todo lo que había pasado esa tarde, obviando, como es lógico, lo concerniente a la dama italiana. Se quedó maravillada por todo y dijo que le parecía un sueño o un cuento de hadas. Acto seguido me dijo que tenía que comprarse un vestido adecuado para la recepción porque el nuevo que tenía ya se lo había puesto en dos oportunidades. Le dije que seguramente ninguno de los que iban a la recepción lo habría visto, porque nosotros no frecuentábamos el ambiente diplomático; pero no había oído lo que le había dicho porque por toda contestación me preguntó que de qué color lo debía comprar negro o azul. Como sabía que ella apreciaba y generalmente seguía, mis indicaciones sobre color y atuendo, le contesté que cuando hablara con la embajada preguntaría todo lo concerniente al respecto. Cuando llamé a la embajada me pusieron con el propio Embajador, éste me dio mil excusas por la súbita invitación, explicándome que se pensaba hacer un acto especial para la entrega de la beca, pero la mamá de la esposa del

Encargado Cultural había sufrido un accidente por lo que éste tenía que marcharse a Roma inopinadamente con su esposa; por ese motivo se había incluido la entrega de la beca en una recepción que ya estaba planeada de antemano; pero que si yo tenía un compromiso previo, ellos encantados pospondrían la entrega de la beca, aunque en este caso la entrega tendría que hacerla él y no el Encargado Cultural como correspondía. Me quedé estupefacto. Agradecí al señor embajador sus atenciones y le aseguré nuestra asistencia. Después de colgar me di cuenta que no había preguntado sobre el atuendo adecuado para la recepción. Pedí a la secretaría del bufete que llamara y así evité un disgusto con mi esposa y la posibilidad de que ésta llamara a la embajada y se pusiera en contacto con la gentil dama italiana.

III

La recepción, en la que fuimos invitados especiales, fue sencillamente extraordinaria. Conocí a varias personas de indudable importancia diplomática y política, pero lo interesante fue que la gentil dama no se nos acercó ni a mí ni a mi esposa en toda la noche. Tan clara fue su actitud que, mi esposa, nada dada a fijarse en detalles sociales, se dio cuenta de tan extraña situación; sin embargo, el Encargado Cultural fue un dechado de atenciones para con nosotros y llegó a decirle a mi esposa que había cocinado el plato que había comido en casa pero que, aunque había seguido la receta con exactitud matemática, no había logrado darle el sabor que tenía el cocinado por ella. Mi esposa estaba entusiasmada y agradecida, y aprovechó la ocasión para decirle que en dos oportunidades había tratado de hablar con su esposa para testimoniarle nuestra pena por el accidente de su mamá pero no había podido hablar con ella, por lo que le rogaba a él que le transmitiera nuestra pesar. El Agregado Cultural se mostró turbado, y balbuciendo dijo que eran tantas las personas invitadas que... pero que seguramente ella hablaría con nosotros antes que nos fuéramos. Hablamos con otros invitados italianos, los cuales venían a saludarnos y desearnos que lográramos lo que nos proponíamos en Italia. Además nos aconsejaban adonde ir a comprar y comer. Tratábamos de memorizar los nombres de los museos, tiendas y restaurantes que nos daban diciéndonos que el visitarlos era imprescindible para conocer a cabalidad la Ciudad Eterna. Nos marchamos a las once de la noche, después de tener una deliciosa conversación con el embajador y su esposa.

Cuando llegamos a casa, como ya teníamos la beca en nuestras manos, además de todos los documentos necesarios para el viaje, decidimos adelantar el mismo y así tendría más tiempo para estudiar. Al día siguiente después de llamar a la compañía de aviación, pensé ir al bufete y ayudar en los casos que había entregado a mis compañeros, pero luego rectifiqué, ya había dado los casos y ellos los habían aceptado, ¿para qué ir entonces? Además iba a estudiar intensamente en los cuatro meses venideros, así que opté por tomarme estos dos días que me quedaban hasta la partida, de descanso.

Me desperté a las diez de la mañana. Mi esposa todavía dormía. Gocé con la idea de no tener absolutamente nada que hacer. Busqué el libro "Cicerón y sus amigos" que me había regalado mi madre, en mi incipiente biblioteca. Este libro había causado hondo impacto en mí. Había tenido la precaución de marcar los pasajes que consideré más importantes para conocer las intimidades del inolvidable tribuno y los hechos que habían entristecido más la vida de ese gran patricio a quien no tuve el honor de conocer. El pasaje en que el autor habla de lo mucho que le hicieron sufrir sus hijos. Tulia, la mayor, que murió del parto de un hijo de su esposo Dolabela a quien había abandonado por sus constantes injurias y Marco, su hijo varón, a quien Cicerón quería hacer filósofo y al que mandó, con tales propósitos, a estudiar a Atenas y lo único que consiguió fue que su hijo se hiciera un gran aficionado al vino de Quío, afición que siempre mantuvo. Medité sobre la vida de este hombre tan grande y parece que me adormecí, porque volví en mí cuando mi esposa entró en el despacho después de haberme buscado por toda la casa, quería que la acompañara a las tiendas. En ese momento lamenté no haber ido al bufete.

No fue tan malo el viaje a las tiendas. Mi esposa encontró lo que buscaba sin demorarse mucho. Ya había terminado antes de las doce y como premio la invité a almorzar. Como siempre, lamenté comer fuera, no había encontrado un restaurante que tuviera un cocinero de la calidad de mi señora. Como nada teníamos que hacer, la invité a ir a la playa, sólo a contemplar el mar y sentir su salado aire y refrescarnos en uno de los restaurantes que había al lado de la arena.

Se iba a la playa por una carretera ancha y por ella se llegaba, después de hora y media de plácido viaje, a un hermoso arenal, de arena tan fina, que más que arena parecía polvo de estrellas. La playa estaba vacía, era un día entre semana, y la gozamos profundamente. Me remangué los pantalones, y con los zapatos quitados, caminamos por la orilla. Así lo hacíamos mis hermanos y yo cuando siendo niños nos traían a esta misma inigualable playa. De éste modo nos despedimos de nuestro país. Estaríamos todo el verano sin ver sus playas.

Al día siguiente logré, después de varias tentativas infructuosas, hablar con el Incorruptible. Le agradecí de nuevo lo que había hecho por mí y me puse a su disposición para cualquier cosa que necesitara en Roma. Me contestó que nada se le ocurría, pero que me lo agradecía y nos deseó un buen y fructífero viaje y de nuevo me aconsejó que no dejara de ir a Pompeya.

IV

Salimos para el aeropuerto con tiempo más que suficiente, papá nos llevó. En el camino nos dimos cuenta que se nos habían olvidado varias cosas, no eran de importancia, la tijerita de las uñas, algodón y las gotas para los ojos, todas éstas cosas las podríamos comprar en Europa, por lo que no nos preocupamos mucho. Cuando llegamos al aeropuerto le pedí la cámara fotográfica a papá, éste me dijo que no la tenía. En realidad pensé que él la había cogido al salir de la casa, pero no quería despedirme con una pelea. Aparenté no darle importancia al asunto, pero comprendí que éste si era un olvido de importancia, por lo costoso que sería sustituir la cámara por otra, y porque además tenía en el neceser más de veinte rollitos de fotografías de 35mm., así que tendría que comprarme de todos modos una cámara de 35mm. Entonces me di cuenta que ésta era la oportunidad de comprarme lo que siempre había deseado tener, deseo que había sido tronchado cuando un tío de mi esposa, visitante frecuente de mi casa, había tenido la desdichada idea de regalarnos, el día de nuestra boda, una cámara fotográfica de escasa calidad, pero ahora, al cabo de casi un lustro, había llegado la oportunidad de materializar mi deseo, me compraría una Leika en cuanto llegáramos a Europa.

En el aeropuerto nos encontramos con mis suegros y con el Agregado Cultural y su esposa, iban a Italia en el mismo vuelo nuestro. Ésta fue un dechado de atenciones para con mis padres y mis suegros. Mi esposa y yo estábamos sorprendidos de la volubilidad de esta distinguida dama. Sus atenciones fueron tantas que me hicieron olvidar que debía entregar la llave de la casa a mis padres y a mis suegros. Todo lo hacíamos así, a partes iguales, para evitar todo tipo de animadversión entre ambas familias. La distinguida dama nos hizo pasar con ellos, los primeros, como si fuéramos diplomáticos. Arregló todo, usando su condición de "diplomática", para que nos sentaran juntos en primera clase, mi primer cruce del Atlántico se efectuaría bajo una tensión extraordinaria, pero me propuse que esto no arruinara mi primera experiencia trans-oceánica. Pensaba en Colón, y yo haciendo lo que él hizo, aunque utilizando distintos medios, cientos de años después. En eso me acordé que no había dado las llaves a padres y suegros. Tenía que dárselas porque si no, mis plantas pasarían a mejor vida, el canario moriría y encontraríamos la casa escandalosamente sucia cuando regresáramos. Expliqué lo sucedido a mi señora y acompañantes y salí corriendo hacia la puerta. Ya venían caminando los demás pasajeros. Hablé con la azafata que estaba a la puerta recibiendo a los pasajeros y me dijo que posiblemente mis padres y suegros ya se habrían ido, le dije que estaba seguro que no, que ellos esperarían a que el avión levantara vuelo. Bajé rápidamente las escaleras del avión previa autorización de la azafata. Atravesé la distancia que había entre el avión y el edificio central del aeropuerto, corriendo. Entré al edificio, no los veía, busqué entre las personas pegadas a los cristales desde donde se veía despegar al avión, no estaban. Pasó por mi mente la muerte lenta e irremediable del canario que me había arrullado tanto con su canto, tenía que evitarla. Seguí buscando, ahora por los bares, aunque me imaginaba que era tiempo perdido porque papá no tomaba ni vino, pero para suerte mía, del canario y de mis plantas, mi suegro sí tomaba, aunque sólo socialmente. En el primer bar que entré estaban sentados a una mesa esperando que les sirvieran lo que habían pedido. Les dí una llave a cada uno y salí corriendo para el avión.

Cuando fui a entrar al avión la azafata, que no era la misma que me había autorizado salir, me pidió el boleto de pasaje. Le conté lo que me había pasado pero sólo logré que se afianzara en su creencia de que yo era o quería ser un polizón. Era una hermosa muchacha que, a simple vista, no tenía motivos para ser tan descreída. Me dijo que hablaría con el piloto, le dije que por favor no hablara con el piloto sino que todo lo que tenía que hacer era llamar a mi esposa, que ella tenía mi boleto. Le di el nombre de mi esposa. Me dijo que esperara con una voz extraña, amarga, no oída por mí antes. Pasé más de cinco minutos en el umbral de la puerta protegiéndome como podía del fuerte sol que ya me había hecho empezar a sudar. Determiné que era bochornoso seguir esperando como si fuera un criminal y decidí entrar y sentarme con mi esposa y los italianos. Estaba contándoles lo que me había pasado cuando noté como se formaba un tumulto tremendo en la puerta del avión. Dos policías habían entrado y cerrado la puerta. Entonces se oyó la voz amargada de la azafata anunciar que había un polizón en el avión y que había llamado a la policía para que lo detuviera. Me iba a levantar para aclarar el malentendido pero nuestra hidalga acompañante italiana, me aguantó y me dijo que no fuera, que esperara a ser descubierto y así la azafata pagaría las consecuencias por haber asumido tan absurda conducta. El resto del grupo apoyó su opinión y yo fui débil y me quedé sentado. Pasaron varias veces por nuestro lado contando los pasajeros y parecía que el hecho iba a ser olvidado y que quedaría como algo para comentar con los amigos, sin ninguna consecuencia, cuando la azafata me vio y gritando, "es ése, préndanlo", se abalanzó sobre mi. Todo pasó extraordinariamente rápido. Me asió por las solapas del saco y levantándome de mi asiento, me zarandeaba inclementemente. Estaba tan aturdido que no reaccionaba; sólo lo hice cuando vi a mi esposa que, en una lucha desigual con la azafata, la logró separar de mí. En ese momento llegaban la policía y el piloto que al fin se había dignado salir de su cabina. La azafata me acusaba ferozmente, gritando mi supuesto delito. El piloto muy cortésmente me invitó a que acompañara a la policía hasta las oficinas de la compañía y así evitara más inconvenientes a los pasajeros. Entonces, lleno de ira, le grité al piloto que con una persona imbécil era suficiente en el avión y que escuchara mi parte antes de tomar alguna determinación. El piloto visiblemente nervioso me dijo que contara mi parte. Le conté todo y terminé dándole el boleto mío que pedí a mi esposa. Miró el boleto y según lo hacía se iba poniendo rojo, me devolvió el boleto y miró con cara de absoluto desprecio a la azafata. Me pidió disculpas y se iba a ir. Entonces lo llamé y le dije que el avión no se movería de ese lugar hasta que él primero, y un funcionario de la compañía de aviación después, me dieran disculpas por los micrófonos del avión. A todo esto la azafata empleaba la misma tenacidad, que había empleado para acusarme, en estirarme las solapas que me había arrugado. El piloto titubeó, evitaba complicarse con situaciones ajenas a su trabajo. Después de pensarlo aceptó el hecho de él pedir disculpas, pero no llamaría a nadie de la compañía para hacerlo. Entonces me identifiqué como abogado y le dije que yo no estaba pidiéndole, sino exigiéndole que hiciera lo que yo le había dicho o el avión no levantaría vuelo. Para alivio de todos los pasajeros y de mi esposa en particular que estaba pálida y muy nerviosa, después de pensarlo por algún tiempo, el piloto aceptó cumplir todas mis exigencias.

Después de las disculpas dadas por los micrófonos, un funcionario de la compañía y el piloto vinieron y se excusaron personalmente conmigo, con mi esposa y acompañantes y nos informaron que todos los tragos que tomáramos durante el viaje correrían por cuenta de la compañía.

Al fin, el avión levantó vuelo. Al poco rato estábamos sobre el inmenso océano. Nunca había visto cielo tan hermoso ni mar tan precioso. Mis anteriores viajes por avión habían sido tan cortos que casi no había tenido la oportunidad de ver esta maravilla que estaba contemplando. Me extasiaba ante ella. Tenía ocho horas para contemplarla. Noté como mi esposa experimentaba la misma sensación que yo, y noté también como los italianos nos miraban con la condescendencia de quien ve a un niño experimentar algo por primera vez. A las dos horas de viaje me empezó a entrar un aburrimiento extraordinario. Para hacer conversación se me ocurrió preguntarle al Encargado de Negocios si por casualidad sabía latín. Se le iluminó el semblante. Me contestó en latín y seguimos hablando en dicho idioma. Noté que el rostro de su esposa se congestionaba por la envidia y sin embargo el de la mía se iluminaba de alegría porque yo pudiera practicar el latín, cosa que favorecería mis estudios en Italia. Me dijo, en latín, que él había sido director, hasta hacía poco, de una revista editada por la facultad de latín de la universidad de Heidelberg. Le conté sobre la extraordinaria personalidad de mi profesor de latín y de mi propósito de aprenderlo para realizar los estudios que me llevaban a Italia. Contestó que siempre había dado por seguro que, dada la naturaleza de mis estudios, tendría, por lo menos, el conocimiento necesario para leer latín, aunque no lo pudiera hablar. Se quedó sorprendido cuando supo que lo había aprendido en seis meses, no lo quería creer. Tuve que interrumpir la conversación que mi esposa tenía con la gentil dama italiana para que dijera el tiempo que me había llevado aprender latín. Al decirlo mi esposa, él lo creyó, mostrando sorpresa de que en tan poco tiempo hubiera podido dominar tan difícil lengua. Entonces su esposa intervino, al ver una oportunidad de humillar a su esposo, y dijo que él todavía tenía inseguridad en el uso de algunos tiempos verbales, según él mismo se lo había dicho. Él, sin hacerle caso a lo dicho por ella, me dijo que recibía mensualmente la revista de la cual había sido director y que escribía de vez en cuando artículos en la misma. Era una de las pocas cosas de su juventud a la que todavía estaba ligado, agregó en voz queda. Nos quedamos callados. Él, ostensiblemente, rememoraba, a juzgar por su sonrisa, tiempos mejores. No quise interrumpirle y cogí una revista que tenía cerca. La azafata amargada, que ahora era un ejemplar modelo de eficiente servidora, nos trajo los primeros tragos, eran cuatro cubalibres. Por no desairarla cogí el mío, pero no lo pude tomar, nunca me ha gustado. El diplomático tomó el suyo y el mío. Una vez vacío mi vaso, le pedí a la desdichada azafata un daiquirí, mi bebida favorita; bien hecho, el daiquirí es bebida de dioses, refrescante y estimulante. Al poco rato ella trajo el daiquirí y una botella de vino con cuatro copas y las puso en una mesita. El diplomático ya no hablaba. Se sirvió una copa de vino y la fue sorbiendo poco a poco pensando quién sabe en qué. Mi esposa dormitaba y la dama italiana tenía echada la cabeza hacia atrás y miraba al infinito. Todavía tenía la revista en mis piernas y la abrí nuevamente. La revisé de punta a cabo y no encontré ningún artículo que valiera la pena ser leído. Me adormecí hasta que me despertaron para almorzar.

La segunda jornada del viaje fue menos aburrida, pues surgió un tema de conversación en el que los cuatro estábamos interesados y conversamos largamente sobre el mismo y cuando menos lo esperábamos, el piloto anunció la proximidad del aeropuerto Leonardo da Vinci. Nos preparamos para el aterrizaje que considerábamos inminente y que por no sé qué tecnicismo se demoró más de media hora. En ese intervalo vino la azafata del problema y me informó que la compañía tenía una limousine esperando en el aeropuerto para transportarnos al hotel en donde tuviéramos reservaciones. La dama italiana de inmediato quiso ir en la limousine, pero como los esperaban algunos parientes, el marido se opuso terminantemente.

Cuando recogíamos nuestras maletas para comenzar el largo peregrinaje hasta la aduana, se presentó un empleado de la compañía de aviación que las cargó por nosotros y las pasó por la aduana sin tropiezo alguno.

Ya fuera del aeropuerto mientras esperábamos la limousine vimos a los diplomáticos los cuales nos presentaron a sus familiares y se marcharon, con visible disgusto de la diplomática dama la cual insistía en ir en la limousine con nosotros. Al poco rato llegó nuestro carro.

El hotel, en donde teníamos reservaciones, recomendado por el diplomático, se llamaba "Accademia". Un hotel nada presuntuoso pero que tenía todas las comodidades de uno que lo fuera. Estaba muy bien situado, a sólo una cuadra de la Fontana di Trevi y a quince o veinte del centro comercial, aunque algo distante de la Biblioteca. Nuestra habitación era espaciosa, con baño privado y televisión.

Como no éramos simples turistas, teníamos cuatro meses por delante de nosotros para estudiar, además de ver y saborear la eterna Roma, decidimos tomar un baño y dormir varias horas, para descansar del largo viaje.

Nos despertamos de madrugada con un hambre voraz. Comimos los paqueticos de maní que nos habían dado en el avión, doble dosis por aquello del incidente, y esto, lejos de amortiguar el hambre que sentíamos lo excitó más. Esperamos ansiosamente a que fueran las siete, que era la hora en que empezaban a servir el desayuno. Fuimos los primeros que entramos en el comedor, cosa que motivó el aturdimiento de mi esposa. Una vez que desayunamos empezamos nuestra visita turística a Roma.

Pasamos los primeros tres días de nuestra estancia en Roma visitando los lugares más prominentes de su pasado histórico, según habíamos convenido. Adonde primero fuimos, fue al Coliseo, ruinas de lo que fue un precioso edificio. Le expliqué a mi señora que no debíamos estar en el mismo, porque habían muerto tantas personas en ese edificio que nada tenía que envidiar a los grandes centros de asesinatos masivos que después han habido. Le conté que una vez se derramó tanta sangre humana en ese edificio que no se podía ver el suelo del lugar donde se combatía. Le dije que estaba tan horrorizado que había decidido irme. Sorprendentemente vi una sonrisa en su rostro. No le di importancia y seguimos nuestro itinerario. A eso de las dos decidimos tomar un refrigerio en el muy recomendado Caffé Greco, en la Via Condotti. El diplomático nos había recomendado mucho este sitio por su decoración y buena calidad de sus refrigerios y no le faltaba razón. Se notaba desde la entrada en el mismo su elegancia. Los cuadros que adornaban sus paredes eran óleos de indudable mérito y las maderas del bar a la entrada estaban tan bien trabajadas que a simple vista se notaba que eran obras artísticas. Se respiraba exclusividad, deseábamos permanecer allí; el ambiente era exquisito, no queríamos vernos de nuevo rodeados por la nube de turistas que infestaba Roma.

No sabía que estábamos en el centro comercial de Roma, pero mi esposa sí lo sabía, así se lo había dicho la gentil dama italiana. Cuando salimos caminamos varias veces las vías Condotti, Corso, otras calles de los alrededores, y la Piazza di Spagna. Decidimos ir a comer en el "Ristoranti Da Cesare" cerca del hotel, el que no sabíamos que se convertiría en "nuestro" restaurante en Roma, por las veces que comimos en él.

V

Al cuarto día de nuestra llegada empecé mi labor investigadora, es decir, quise empezarla; digo quise empezarla porque al personarme en la Biblioteca Nacional de Roma para pedir hablar con el Director, me contestó la recepcionista o secretaria a quien pregunté, que él nunca iba a la biblioteca por la mañana; que llegaba normalmente a la tres de la tarde. No pude evitar sentir un gran desagrado motivado por el horario de trabajo del Director. Entonces pedí hablar con alguien que tuviera facultades para tomar decisiones y me dijeron que debía esperar a que llegara el Jefe de Personal. Éste, me dijeron, llegaría a las once de la mañana.

Para matar el tiempo, eran sólo las nueve, me puse a ver algo de la famosa biblioteca. Estaba ensimismado en el examen de sus interesantes libros cuando la señora, con la que había hablado al llegar, me fue a buscar porque había llegado el Jefe de Personal. Me dijo que me diera prisa y que hablara con él antes que entrara en su oficina. Todo me pareció muy raro pero decidí seguir a la atenta señora. El esfuerzo fue infructuoso, cuando llegamos ya el señor había entrado en su despacho. Le dije a la señora que le comunicara que yo lo estaba esperando pero me dijo que él era un poco raro y que no le gustaba que lo interrumpieran. Me quedé confundido, tenía imperiosa necesidad de ver al señor jefe y así se lo hice saber a la señora que tan amablemente se había portado conmigo, ésta me contestó que podía tratar mañana a ver si tenía suerte. La miré detenidamente, no podía creer lo que estaba diciendo. Le dije a la señora que no tenía tiempo que perder y que me era urgente empezar cuanto antes la labor que me había llevado a la biblioteca. Me quedé esperando una reacción de su parte favorable a mis deseos, pero nada, quedó impertérrita. Me llené de ira, y fui hasta la oficina del Jefe de Personal. Toqué a la puerta y esperé pacientemente oír alguna voz mandándome pasar o preguntando qué quería, pero nada. Entonces abrí la puerta y no había nadie en el despacho. Había una ventana abierta y calculé que por allí se habría ido el ocupante del despacho. Llegaba a las once, se hacía ver, entraba en su despacho y se evaporaba. La recepcionista o secretaria que venía corriendo para evitar la consecución de la profanación realizada, abrir la puerta de la oficina del jefe de Personal, cuando vio que yo me había dado cuenta de todo, profirió, como excusa, que él había sufrido mucho durante la guerra. No la comprendí ni me interesaba comprenderla, lo único que me interesaba era resolver mi situación y poder empezar mis investigaciones. Pero también me di cuenta que perdería el tiempo si tratara que ella, burócrata ejemplar, comprendiera mi situación, por lo que hice un acopio de paciencia y me dispuse a esperar a las tres de la tarde para hablar con el Director.

Traté de localizar a mi esposa para almorzar juntos, pero todas las llamadas que hice al hotel y a ciertas tiendas, a las que me dijo que iba a ir, fueron infructuosas; entonces me decidí almorzar solo en algún restaurante cercano. No estaba apurado, tenía casi cuatro horas para almorzar. Caminé despacio, apreciando detalladamente, cada uno de los diferentes estilos arquitectónicos que componen la ciudad de Roma. Pensé en cuanta belleza e historia se habían perdido para siempre por la construcción de las avenidas que hoy circunvalan esta gran ciudad.

Almorcé en un restaurante pequeño, nada atractivo, pero de unos platos exquisitos y de un ambiente muy agradable. Traería a mi esposa a comer a este magnífico lugar. La caminata de regreso a la biblioteca me vino de perilla, me ayudó a perder algunas de las calorías que había adquirido con la comida y ayudó también a la disipación del vino que había tomado.

Cuando llegué a la biblioteca, para mi sorpresa, el Director me esperaba. Me recibió de inmediato. No pude evitar conectar este trato del Director con el conocimiento de su parte de que yo sabía todo lo del Jefe de Personal. Me figuré que me creía un periodista extranjero con intenciones de escribir un artículo sobre la biblioteca y esto le preocupaba visiblemente. Cuando le dije la razón por la cual quería hablar con él, fue como si se le cayera un gran peso de arriba. Las características del hombre cambiaron totalmente, ahora ya no era el hombre inseguro de antes, ahora se veía un hombre dueño de sí mismo. Me miró de arriba abajo y me dijo, "¿se imagina usted dónde estarían esos manuscritos si cada vez que viniera alguien a verlos, se le permitiera hacerlo?" Yo le contesté que lo comprendía, pero que en mi caso se me había dado una beca precisamente para estudiar esos documentos.

—Bueno, yo hablaré con mi superior jerárquico y le informaré.

—Mañana estaré aquí lo más temprano posible.

—No, no, eso lleva días —ripostó el Director, molesto por mi actitud.

—Pero es que yo no tengo días para malgastar y he hecho un viaje muy largo para que usted, sin fundamento, obstaculice mis propósitos.—Hablé con la pared porque el Director se había levantado y caminado hasta la puerta la cual abrió haciéndome señas para que me fuera. Salí del despacho, pero inexplicablemente no me sentía ni humillado ni abatido. Me dí cuenta que el Director era un hombre que cedería fácilmente a presiones políticas. Desde la misma biblioteca llamé por teléfono al Agregado Cultural. Ellos nos habían dado su número de teléfono para el caso de que surgiera alguna contingencia. En realidad no me imaginé que esto pudiera ocurrirme. En la casa del diplomático no había nadie o no querían contestar la llamada. En ese momento me di cuenta que no le había enseñado al Director los documentos acreditativos de la beca concedida por la Embajada de Italia ni la carta del Rector de la universidad en la que profesaba y en la que se hacía saber que ocupaba la cátedra de Derecho Romano en la misma y de mis planes para escribir un libro sobre dicha materia, para lo cual me era imprescindible realizar las investigaciones pertinentes en Roma. Iba a regresar para enseñarle los documentos pero en mi interior sabía que esto no lo haría cambiar de actitud. Encaminé mis pasos al Ministerio de Relaciones Exteriores. No hice más que llegar, me recibió un funcionario de menor cuantía el que, al contarle mi caso, sin responderme absolutamente nada, se levantó y me llevó a ver a otro funcionario de jerarquía superior a la de él. A éste le conté de nuevo lo que me había pasado. Sin decirme una sola palabra llamó por teléfono a otro funcionario que, juzgando por la manera en que le hablaba, era un superior suyo. Cuando terminó de hablar, tocó un timbre y entró una empleada. El funcionario se levantó y extendiéndome la mano para despedirse me dijo que la señorita, a la cual dijo algo en ese momento que no comprendí, me conduciría a otra oficina en la que se ocuparían de mi asunto. La señorita, siempre delante de mí y sin hablarme, me condujo a otro piso. Allí entramos en otra oficina donde estaba otra señorita que me esperaba. La primera señorita se despidió de mí muy cortesmente y la nueva señorita me condujo al nuevo funcionario que estaba sentado detrás de un hermoso buró en una amplia, alfombrada y bien amueblada oficina. A este funcionario le repetí de nuevo mi historia, esta vez con más detalles, su repetición me había hecho perfeccionar la narración de mis vicisitudes. Este funcionario era más locuaz que los otros dos juntos y me hizo sentir mejor. Después de pedirme los documentos acreditativos de mi beca y cátedra y de hojearlos rápidamente, me dijo que yo seguramente comprendería la actitud del Director pues él era el guardián de tesoros insustituibles y que tenía que velar por ellos. Como no quería entrar en discusiones que a nada conducirían, le contesté que sí que entendía perfectamente la actitud del Director, pero que era el Director el que no entendía mi situación y que no había hecho nada por entenderla. El funcionario llamó a la secretaria y le dijo que llamara al Director de la Biblioteca Nacional. Entonces me empezó a hacer preguntas sobre mi patria y me contó que su mamá había nacido allí, pero que siendo pequeña sus padres habían vuelto a Italia. En ese momento la secretaria entró de nuevo diciendo que el Director no estaba en la biblioteca y que no volvería hasta mañana... "A las tres de la tarde," dije yo terminando el recado que repetía la secretaria. Los dos se me quedaron mirando. Les aseguré que no era adivino, sino que me habían dicho lo mismo. El funcionario muy ceremoniosamente me dijo que si esperaba un momento me daría una carta firmada por el señor Subsecretario poniendo al Director en conocimiento de mi misión y pidiéndole que eliminara todos los obstáculos que pudieran entorpecer mi cometido. Pensé que tendría que esperar largo tiempo pero, para mi sorpresa, en menos de media hora ya estaba la carta en mi poder.

Ahora me sentía armado poderosamente para atacar lo que el Director creía que era su inexpugnable fortaleza.

Al día siguiente, mi esposa y yo, nos levantamos tarde, decidimos descansar toda la mañana y a eso de la una fuimos a almorzar en una cafetería cercana al hotel llamada Caffé Accademia. Después de almorzar mi esposa seguiría viendo los museos y otras bellezas de Roma y yo iría a la biblioteca. Me sentía seguro, hoy empezaría mis investigaciones. Llegué a la biblioteca a las dos y media. La secretaria o recepcionista me recibió muy fríamente. Pregunté si ya el Director había llegado y me contestó con un lacónico no. Me senté a esperar a que llegara el "Magnífico Director". No llevaba más de diez minutos en la biblioteca, cuando llegaron dos carabineros. Su presencia me pareció, a lo menos, desusada en tan tranquilo recinto. Hablaron con la secretaria y, para mi sorpresa, vi que ella señalaba hacia mí. Los carabineros llegaron a mí y me pidieron que por favor los acompañara. Les dije que no tenía ningún inconveniente, pero que por favor, me dijeran el motivo de mi arresto. Los carabineros se mostraron muy sorprendidos insistiendo en que yo no estaba arrestado, pero que hiciera el favor de acompañarles.

—Si no fuera con ustedes, ¿qué me pasaría? les pregunté.

—Usted no tiene por qué negarse. Por favor acompáñenos.

—Si no estoy arrestado, no me moveré de aquí y si quieren que les acompañe me tendrán que llevar cargado. Los dos carabineros se miraron sorprendidos. Ahora no sabían qué hacer. Aproveché su turbación para informarles que cualquier decisión que tomaran, excepto la de dejarme en paz, les acarrearía innumerables inconvenientes. Se volvieron a mirar y se dirigieron a la secretaria la cual mostraba su indignación por la indecisión de los carabineros dando frenéticos golpecitos con un lápiz en su mesa. Cuando caminaban hacia ella, hizo acto de presencia el Director. Este para sorpresa de la secretaria y mía, se dirigió hacia mí con una sonrisa de oreja a oreja y muy amablemente me dijo que lo acompañara a su despacho, pues quería que lo informara de mis estudios e investigaciones pues le interesaban sobremanera. Lo último que vi antes de entrar en el despacho del Director, fue la cara arrugada de la secretaria o recepcionista excusándose con los carabineros. El Director me pidió la carta que, sabía, tenía para él y empezó a hablar de mil sandeces y en el monólogo sin importancia que mantenía, dijo, como si fuera algo más sin importancia, que un alto funcionario del Ministerio de Relaciones Exteriores lo había llamado pidiéndole que no solo eliminara todos los obstáculos que se pudieran presentar al desarrollo de mi labor investigadora, sino que facilitara, con todos los medios a mi alcance la misma. Después siguió hablando de otras tonterías, hasta que de repente paró su monólogo y llamó por teléfono a un empleado al que puso a mi disposición para lo que necesitara y quisiera. Una hora más tarde se empezaba a materializar el objetivo de mi viaje. Me dieron una mesa en un salón enorme en donde no se podía notar la más mínima humedad. Podía respirar perfectamente en este local y, a pesar de la antigüedad de los tomos que me rodeaban, no se sentía ningún “olor a viejo". Lo primero que pedí fue el libro de Papiniano, "Quaestiones". Mientras lo buscaban pensé en la vida de éste gran jurisconsulto, condiscípulo y amigo del emperador Septimio Severo; hombre de una gran rectitud, que murió por no someterse a los deseos del emperador Caracalla que lo defendiera ante el Senado del fratricidio cometido por él.

En los días sucesivos estudié y copié a mano, la utilización de otro sistema estaba prohibido, los manuscritos de los jurisconsultos Julio Paulo, Domicio Ulpiano, Herennio Modestino, Próculo y Longino. Además leí y copié los fragmentos existentes del Código Teodosiano y la famosa constitución "Tanta" de Justiniano por la que se promulgaba el "Digesto" como ley del Imperio.

Terminé mis estudios en la biblioteca de Roma en el tiempo que había calculado por lo que decidimos celebrarlo en grande, para lo cual y, a pesar de que mi esposa había tratado de comunicarse en diversas oportunidades con la esposa del Encargado Cultural sin haberlo logrado, la llamó nuevamente. Para su sorpresa el Encargado Cultural contestó al segundo timbrazo, después de saludarlo me entregó el auricular, le conté que habíamos tratado de comunicarnos con ellos en varias oportunidades pero que no habíamos tenido suerte. Me explicó que había estado en casa de su suegra hasta ayer, en que había regresado. Le pregunté por ella y me contestó que debido a su edad, su restablecimiento era muy lento. Sin más preámbulos le dije el motivo de mi llamada y lamentó no poder acompañarnos por encontrarse soltero, pues su esposa se había quedado con su madre. Le dije que si quería podía venir solo, pero dijo que creía era mejor que no, porque nos echaría a perder la noche. Colgamos y cuando todavía no había acabado de contarle a mi esposa la conversación que habíamos tenido, sonó el teléfono. Era el Encargado Cultural, me dijo que iría con nosotros si de verdad no nos importaba. Nos dijo que pasaría a buscarnos a las ocho para llevarnos a un restaurante excelente.

Nos llevó, en realidad, a un magnífico restaurante situado en la otra orilla del Tíber en la parte más antigua de la ciudad, en la que se pueden ver las viejas sinagogas surgir de pronto en sus serpenteantes y estrechas calles. La comida exquisita, pero no pudimos pasarla del todo bien porque el Encargado Cultural se veía triste. Mi esposa lo achacó a que estaba solo y su esposa bastante lejos.

Pasamos los próximos tres días visitando algunos lugares importantes que nos faltaban por ver y después partimos en tren rumbo a Verona.

VI

Si en la Biblioteca de Roma había sido un verdadero vía crucis, a pesar de la beca y de la carta del Rector de la universidad donde profeso, el obtener autorización para estudiar a los clásicos del Derecho Romano, en la Biblioteca Capitular de Verona, para estudiar a Gayo, fue algo sencillamente increíble. Me tuve que entrevistar dos veces con el Director de la biblioteca, éste llamó a la embajada de Italia en mi país para verificar la beca, así como a mi universidad, para verificar la carta del Rector. El Director de la biblioteca que se creía el protector único de los documentos históricos que tenía la misma, una vez recibidos todos los informes que había solicitado sobre mí, favorables a mi persona y planes, alegó la existencia de un "Organismo Central" que era el que tenía que dar la autorización definitiva para que realizara mis investigaciones y que había que esperar por ella. Durante los tres días que estuve allí sin poder estudiar al autor que más me interesaba, me dediqué a visitar los lugares históricos de la bella ciudad. Entre ellos visité el palacio del Tribunal Supremo, los distintos museos de la ciudad, las casas de los Capuletos y de los Montescos, recordando muy especialmente a aquellos amantes inolvidables, miembros de dichas familias. Antes de comenzar mis diarios recorridos turísticos iba o llamaba a la biblioteca para ver si ya había llegado la autorización tan deseada de ese Organismo Central aducido por el Director y que, después me enteré, era inexistente. Mientras más demoraba la autorización, más impaciente me ponía por examinar las "Instituciones" de Gayo, al extremo que un día mi esposa me dijo que estaba insoportable y que qué más daba que leyera o no leyera ese manuscrito, cuando ya había leído todos los otros que tenía planeado leer. La miré como nunca antes la había mirado porque debo confesar que me sentí muy herido. Gayo era de entre todos, el autor que más me interesaba y ella lo sabía. Tal fue la mirada que le dí, que me abrazó y pidió perdón. Le dije que era esencial para mí leer a tan ilustre jurisconsulto, gloria del derecho romano y del derecho civil en general. Mi esposa conocía el nombre de Gayo porque allá lejos, en nuestra patria, yo lo citaba constantemente en nuestras conversaciones: Gayo escribió esto o aquello, opiniones que utilizaba para basar mis razonamientos y hacerlos imbatibles. Tanto utilicé el nombre de Gayo que un día me la encontré leyendo un libro de biografías de varios jurisconsultos romanos, entre ellas, claro está, la de Gayo. La dejé hacer, es más, me gustó que lo hiciera. Después me vino con aquello de que no se sabía a ciencia cierta nada sobre Gayo, llegándose a tener dudas sobre su sexo y hasta de su nacionalidad y sobre si había vivido en Roma o en provincias. Me reí de lo lindo, le dije con una gran seguridad que Gayo había sido hombre, romano y que había vivido toda su vida en Roma, aunque había pasado varios veranos en una villa alquilada en Pompeya en donde había terminado de escribir su famoso libro "Instituciones". Me miró sorprendida, y me preguntó que si yo sabía más de lo que decían los libros. Sólo entonces me di cuenta de lo que había dicho. No se por qué lo dije, pero sé que no fue para ganar la discusión. Me reí sin darle importancia a lo que había dicho. Ahora, cuando la vi temerosa de haberme ofendido, la abracé y conduje al parque de la ciudad. Habíamos ido todas las tardes a ver sus flores, eran variadas y bonitas. Las rosas nos hacían recordar las que cultivábamos en el patio de casa, eran rosas de té de color amarillo rojizo.

El tercer día de mis obligadas vacaciones hablé por larga distancia con el funcionario del Ministerio de Relaciones Exteriores que me había resuelto el problema en la biblioteca de Roma. No quiso creer lo que le contaba sobre la actitud del Director de la Biblioteca y se ofreció a hacer lo que estuviera en sus manos para eliminar todos los obstáculos que se me habían presentado en la consecución de mis fines; además me hizo saber que el tal Organismo del cual decían dependía la tan ansiada autorización para que pudiera realizar mis investigaciones, no existía.

Debido a todos estos antecedentes llegué al día siguiente por la mañana a la biblioteca con la firme determinación de que ese día empezaría a leer a Gayo. Pedí a la secretaria hablar con el Director. Ésta me informó que no estaba. Le dije que no me mintiera porque lo había visto entrar. Entonces me dijo que estaba ocupado. Le contesté que había hablado con el Ministerio de Relaciones Exteriores y que me habían informado que el tal Organismo del cual, decían ellos, dependía la autorización para que realizara estudios en la biblioteca, no existía. En otras palabras que me habían estado tomando el pelo inmersericordemente. Todo lo que había dicho lo había dicho en un tono de voz algo alto, lo suficiente para que fuera oído por los lectores que estuvieran cerca de la oficina del Director. La secretaria se levantó de inmediato y fue a la oficina del Director. Al poco rato éste me mandó pasar. Muy amable me dijo que lo acababa de llamar un funcionario del Ministerio de Relaciones Exteriores pidiéndole que no entorpeciera mi labor investigadora y que, al contrario, la facilitara. Entonces empezó a darme una serie de explicaciones sobre el por qué no permitía que cualquiera manoseara tan importante manuscrito. Lo interrumpí diciéndole que yo no era un cualquiera sino que me habían concedido una beca para realizar estos estudios otorgada por el Ministerio de Relaciones Exteriores de su país y que no estaba allí para manosear documentos sino para estudiarlos, y que quería empezar a hacerlo de inmediato. Me empezó a decir que eso no era un libro que se sacaba de un estante sino que había que prepararlo adecuadamente para que no se dañara el documento. Le dije, en un tono de voz más cortés, que ya me había hecho perder tres días y que no estaba dispuesto a perder un día más. Además, le dije que los documentos que quería estudiar, y a tales efectos, cualquier otro de carácter histórico, no eran propiedad de ninguna biblioteca ni de ningún país, sino que eran patrimonio universal. Sin contestarme llamó por el intercomunicador a un empleado. Este contaba con la edad apropiada para trabajar con esos documentos antiguos, casi no podía caminar, sus zapatos eran unas simples chancletas cortadas por los lados para que cupieran sus, desproporcionadamente, anchos pies. Con mucho respeto le habló al Director y éste con mucha indiferencia le ordenó que me llevara a una oficina privada y me entregara el palimpsesto donde estaban las Instituciones de Gayo. El anciano muy cortésmente me pidió que lo acompañara. Caminamos toda la biblioteca y casi al final, entramos en un amplio y largo salón donde estaban, al igual que en Roma, en largas urnas de cristal, cientos de manuscritos, muchos de fecha muy anterior al que era objeto de mi estudio. El anciano casi no podía con el manuscrito y las sólidas carátulas que lo protegían pero no obstante, se aferró a él cuando intenté aliviarlo de la carga. Con gran esfuerzo lo llevó hasta la oficina a la que se me destinó. Una vez llegados, puso con mucho cuidado el libro sobre la mesa y señalándome un higrómetro me dijo que lo llamara si marcaba menos o más de una linea que me señaló y se marchó. Al fin me quedé solo con el libro de Gayo. Determiné hacer lo mismo que había hecho con los otros documentos, leería una página y la copiaría. Después, si acaso, haría algunas notas al margen. Así había hecho cuando copié los manuscritos existentes de Ulpiano, Papiniano, Paulo, Modestino, Próculo y Longino que había estudiado en Roma, éstas copias, junto con la que haría de las Instituciones de Gayo, las llevaría a casa para estudiarlas y llegar a mis propias conclusiones y no seguir las opiniones de otros. Me dispuse a abrir el libro que por tanto tiempo había anhelado ver, tener en mis manos. En la primera página en papel corriente, no en papiro como en la obra en sí, había una nota: Obra descubierta por Bertoldo Jorge Niebuhr en 1826. Noté como me temblaban las manos. Vino a mi mente que esta obra era estudiada, en las escuelas romanas, en el primer año de Derecho por los llamados dupondios. A pesar de lo ansioso que estaba por comenzar su estudio, buscaba excusas para no pasar la página. Haciendo acopio de voluntad, pude pasarla. Vi su letra menuda y clara que siempre supe que había tenido, y que en mis ejercicios escritos en latín con el Incorruptible, le decía que imitaba. Él se reía y decía que no se podía imitar lo que se desconocía. Empecé a copiar la primera página, no encontré las dificultades que enfrenté al copiar los otros libros: caligrafía, estilo, y semántica, que obstaculizaban el dar cima a mi labor. Supe que acabaría mucho antes de lo planeado.

Un día, creo, que el tercero, me encontraba en la labor que me había trazado, cuando oí decir al anciano, a cuyo cuidado se encontraba el manuscrito y que de vez en cuando venía a ver lo que estaba haciendo, como hablando consigo mismo, "no sé para que pide el libro si se lo sabe de memoria. Tiene el libro en la página cinco y él está escribiendo la página dieciocho." Miré las páginas y el anciano tenía razón. ¿Cómo habría sucedido? No tenía tiempo para analizar el hecho. El curso en mi universidad estaba próximo a comenzar por lo que sólo tenía unos días más para terminar mis estudios e ir a Pompeya, viaje que se había convertido en una obsesión y con el cual soñaba.

Terminé mi labor en Verona mucho antes de lo que tenía planeado para tranquilidad del anciano encargado de los manuscritos y sorpresa de mi esposa. Sólo nos quedaba Pompeya por ver, ardía en deseos de llegar a la misteriosa ciudad cuna de afamados romanos y lugar preferido de los adinerados de aquella época para pasar sus vacaciones estivales.

VII

Decidimos alquilar un automóvil para ir a Pompeya, así llegaríamos más rápido. El señor de la compañía donde alquilamos el automóvil, nos explicó tan claramente las carreteras a tomar para llegar a Pompeya que el viaje se realizó sin ningún contratiempo de envergadura.

A una hora de Pompeya decidimos que al llegar a la ciudad, iríamos a un hotel a descansar un rato. Así lo hicimos, pero después de bañarnos, me invadió un extraño deseo de ir a la ciudad exhumada. Sabía que no iba a poder descansar. Le dije a mi esposa lo que me pasaba y decidimos ir de inmediato a la famosa ciudad.

Entramos por donde está el anfiteatro. Mi esposa compró un plano de la ciudad y un libro en el que se narraba la historia de Pompeya con fotografías de varios murales que se conservaban en las casi intactas paredes, de algunas de las casas, que milagrosamente se habían salvado del desastre. El anfiteatro era de una belleza esplendorosa, opacada ésta hoy por los turistas que tiraban al suelo los envases de los refrescos y helados que tomaban, sin el menor respeto para lo que había sido y era, el venerable edificio en que se encontraban.

Todo lo que quería mi esposa era tomarse fotografías y yo lo que quería era recordar las grandes batallas de gladiadores que se habían llevado a efecto en este lugar. Vino a mi mente el gran promotor Mayo que se convirtió en héroe de la ciudad por haber contratado a Paris el gran gladiador. Mi esposa quería tomar unas fotografías del anfiteatro y le dije que las tomara de la "ima cavea" y le indiqué donde estaba. Me preguntó qué cosa era eso y le dije que era el lugar reservado para los funcionarios más importantes de la ciudad y para los visitantes prominentes. Mi esposa me preguntó que cómo sabía la localización y nombre del lugar reservado para las personas importantes, que si lo había leído en el libro que habíamos comprado sobre la ciudad. Le contesté que sí, que lo había leído en dicho libro. En realidad no había ni tocado el libro. Salimos del anfiteatro por una calle que desembocaba en el mismo y que nos condujo a la vía Dell'Abbondanza. A pesar del tiempo transcurrido y a los daños sufridos en sus apariencias y estructuras pude reconocer algunas de las casas. Le iba diciendo los nombres de los propietarios de las casas a mi esposa y ésta se reía y me decía que cómo podía inventar tantos nombres de familias en latín. Cruzando la calle por los peldaños de piedra que allí existen, mi esposa se empezó a reír y cuando le pregunté el por qué de la risa, me dijo que estaba haciendo ademanes como si me recogiera la túnica, exactamente como lo habrían hecho los habitantes de Pompeya del siglo I. Me sonreí. Seguimos caminando y llegamos a la actualmente llamada Casa del Moralista. Instintivamente fui a entrar, pero mi esposa me haló porque quería ver una casa más grande y mejor conservada a unos treinta metros de distancia, era la casa de Trebius Valens. Fui con ella, pero había que esperar en linea para poder entrar, entonces le dije que iba a ver la Casa del

Moralista. Se quedó asombrada, cuando viajábamos siempre íbamos a todos lados juntos. Le di un beso y le hice una mueca para que se sonriera. Quedamos en encontrarnos en esta misma calle cuando termináramos nuestras respectivas visitas. Caminé hasta la Casa del Moralista, allí estaba, a dos metros de la puerta el vendedor de bagatelas, cada vez que venía de vacaciones a la ciudad y visitaba a Arrius Polites me lo encontraba en el mismo lugar. Para mi asombro había un letrero político escrito en la pared de la casa de Arrius, era de un tal Julius que aspiraba a Cuestor. Esto no le gustaría mucho a mi amigo Arrius. Toqué a la puerta y me abrió un nuevo esclavo portero, la cadena que lo ataba del pie derecho era de un amarillo reluciente que me llamó la atención. La palabra "Ave" estaba escrita en un bloque de mármol de Carrara, situado frente a la puerta, de una perfección tal, que me era imposible imaginar que existiera tal calidad de mármol. El esclavo nuevo me pidió el nombre y luego gritó: "el jurisconsulto Gayo ha llegado", me agradó que un esclavo portero supiera de mí, solamente le había dado mi nombre. Mientras esperaba en el vestíbulo, me dí cuenta que el perro fiero que acostumbraban tener encadenado al lado del esclavo y con el cual siempre había tenido problemas, había desaparecido. Me vino a recibir Arrius acompañado de su exquisita esposa Claudia. Me llevaron directamente al peristilo en donde ya estaban servidos los deliciosos panes hechos por el esclavo hornero. En ningún lugar había comido mejores panes y sabiendo Arrius lo que me gustaban, en todas mis visitas me deleitaba con ellos.

Preocupado por que no me fuera a agradar, me dijo que cuando recibió mi mensaje informándole el día y hora de mi próxima visita, había decidido invitar a varios amigos comunes a una cena para recibirme adecuadamente.

Aunque me sentía, todavía, cansado del largo viaje desde Roma, le agradecí sinceramente sus deseos de hacerme pasar una estancia agradable en Pompeya y para hacerle sentir bien, le dije que una de las razones de que viniera a pasarme últimamente los veranos en Pompeya, alquilando una villa en las afueras de la ciudad, era por las deliciosas veladas que pasaba en su casa.

—Sobre eso quiero hablarle, admirable Gayo. De ahora en adelante no tendrá que alquilar ninguna villa para venir a Pompeya, pues al ser llamado a Roma mi primo Epidius para ocupar un alto cargo público, como sabe es primo de la madre del Emperador, he comprado su casa que se comunica con la mía. Así que ahora hay espacio para huéspedes, especialmente para los tan distinguidos como usted. En ese momento el esclavo portero anunció la llegada de Quintus Pappaeus, rico agricultor e íntimo amigo de Lucio Anneo Séneca el cual había pasado algunos veranos en su casa y al cual tuve el honor de conocer al coincidir los dos en Pompeya un verano. Pappaeus era propietario de una de las más hermosas residencias de Pompeya. Fue recibido por Arrius y cuando llegó al peristilo saludó afectuosamente a Claudia y me hizo una reverencia diciéndome, "esta noche le arrancaremos la gloria filosófica a Grecia, por la brillantez de los contertulios y porque Grecia envejece". Me sonreí y cuando me disponía a contestarle, el esclavo portero anunció la llegada del pontífice Siricus. Le tenía gran afecto a Siricus habiéndole invitado frecuentemente a mi casa cuando ejercía su sacerdocio en Roma. Era un hombre de grandes condiciones morales, muy parco al hablar y al que nunca lo había oído emitir opinión ni hacer juicios sobre la conducta de alguien como era tan frecuente que se hiciera, inclusive, entre las personas supuestamente educadas.

Sabía que respetaba, y la mayoría de las veces compartía, mis opiniones sobre los tópicos que se discutían en las veladas en que habíamos coincidido. En varias ocasiones, después de terminadas estas veladas, nos habíamos quedado en la esquina de la casa de Arrius intercambiando opiniones sobre tópicos que se habían discutido y sobre los cuales no habíamos tenido oportunidad de expresar lo que pensábamos. Era Siricus Pontífice Máximo del culto a la diosa virgen Vesta personificación del hogar y protectora de la vida doméstica.

Algo más tarde hicieron acto de presencia Arcadius Carisio hijo, poeta y polígrafo. Era autor de varios libros de poesía y filosofía y su fama había traspasado los confines de Roma y llegado a Atenas donde era muy considerado y respetado; y Julius Polybius, médico de gran fama residente en Pompeya. Este estaba visiblemente molesto por haber llegado algo tarde y se excusaba explicando el motivo de su tardanza, y éste era que se le había presentado un parto prematuro a una de sus pacientes y que no había tenido más remedio que atenderla en tan difícil momento. Arrius aprovechó que Polybius había terminado de expresar su excusa para invitarnos a pasar al triclinio.

Cuando llegamos al mismo nos esperaban en la mesa, deliciosos manjares. Se veían un pavo real de Samos, grullas de Melos, estorninos de Rodas y bellotas de España, y lógicamente no podían faltar las famosas coles pompeyanas. Una vez recostados en acolchonados sofás alrededor de la suculenta mesa, continuó el médico Polybius contándonos sobre el parto de su paciente. Dijo que éste se había presentado a los siete meses de gestación, cosa que era muy rara y que él en su ya larga vida como médico no había visto nunca. Dijo que siempre calculaba el nacimiento de un niño a los diez meses de gestación de la madre. Intervino Carisio diciendo que estimaba que el galeno tenía razón de tener validez científica el apotegma de Plauto en su comedia "Cistelaria".

La mujer con quien tuvo comercio,
dio a luz una hija al final del décimo mes.

Se rieron todos y entonces el médico subrayó que Menandro, cuya opinión había que aceptar como infalible, había dicho que: la mujer da a luz a los diez meses.

Se me ocurrió preguntarle al médico que cuántos niños podían nacer de un sólo parto. Dijo que había leído que en Egipto habían nacido cinco niños de un sólo parto y, estimaba, que éste es el límite de la especie humana y que él sólo conocía el caso de Egipto y el de una sirvienta del emperador Augusto que bajo su reinado, había dado a luz cinco niños. La madre había muerto poco después del parto y los cinco niños la siguieron poco a poco en el camino de la muerte. Desgraciadamente, a los siete días no quedaba ninguno vivo. Augusto había quedado tan impresionado con el hecho que le hizo hacer una tumba a la madre en la que mandó grabar tal acontecimiento. Intervino nuevamente Carisio diciendo que no veía el por qué los niños no podían nacer a los siete meses de gestación, porque el número siete tenía una gran importancia en la vida diaria del universo y de las personas. Dijo que en el libro "Semanas o Imágenes" de Varrón, había muchas observaciones sobre la virtud del número siete. Señaló que éste número forma en el cielo las Osas Mayor y Menor, que las estrellas errantes son siete y también es éste el número de los círculos celestes y que los alciones emplean siete días en construir sus nidos sobre el agua en invierno. Además, dijo Carisio, hay que observar que la luna describe su círculo en cuatro veces siete días, es decir, en veintiocho días. Arrius dijo entonces que no había que ser un Pitágoras para darse cuenta que el número veintiocho es la suma de los diferentes números de los que se compone el siete. En esto Polybius intervino diciendo que la estatura más elevada que puede alcanzar el cuerpo humano es la de siete pies y además que el peligro de las enfermedades redobla en los días formados por el número siete: los días críticos dijo son especialmente el último de la primera semana, el de la segunda y el de la tercera. Añadió que otra observación muy importante era la de que las personas que han decidido dejarse morir de hambre fallecen al séptimo día.

"Es una desgracia que no haya ningún conocimiento tan sólido como el que se tiene sobre las virtudes del número siete, en el campo de los terremotos, señaló Quintus Pappaeus. No se sabe a que dioses invocar para evitar el desastre o amortiguar sus consecuencias. Pienso con los griegos que el terremoto es producido por estremecimientos causados por la acción de las aguas que la tierra contiene en sus abismos y que se debía por ello, invocar al dios Neptuno, los griegos invocan al dios Poseidón". Arrius dijo que por el contrario él estimaba que el terremoto era causado por la acción de los vientos que se precipitan con violencia en las cavidades interiores del globo, y por lo tanto se debía invocar a las Tempestades y sacrificarles varias ovejas negras. El pontífice Siricus se dejó oír, todos callaron por el respeto que le tenían a tal hombre que era ejemplo de virtudes. Dijo que él temía a los terremotos como todos y para evitar su ocurrencia solicitaba la intervención de la Gran Divinidad. Todos nos miramos, no comprendíamos aquello de la Gran Divinidad. Como notaba a Siricus, al cual me sentía muy unido, profundamente turbado, le pregunté si se refería al demiurgo. Contestó firmemente:

—Me referiero a un nuevo demiurgo, a un Demiurgo que nos enseña no sólo a preocuparnos por nuestra seguridad en los terremotos y otras desgracias de la naturaleza, sino también a pensar en la debilidad nuestra que nos ha hecho convertir las cosas superfluas en grandes necesidades. Indudablemente se es menos indigente en la extrema pobreza que en el exceso de la abundancia. Mientras menos tengamos, menos podremos perder en un terremoto. Personalmente les declaro que me atormenta el sólo hecho de desear poseer más de lo que poseo. Creo que con mi casa destruida me quedarían bienes tan extraordinarios como la voz y la vista.—Carisio interrumpió a Siricus lanzando la pregunta de si debíamos considerar la voz como parte del cuerpo. Polybius intervino de inmediato diciendo que esa era cuestión muy antigua sobre la cual los filósofos más ilustres han discutido sin poder llegar a un acuerdo. Pappaeus intervino diciendo que cuerpo era toda cosa que obra, o que es susceptible de recibir acción. Arrius terció en la discusión diciendo que en su idea cuerpo era lo que podía tocar y ser tocado y la voz no tenía ninguna de esas dos cualidades. Y qué me dicen del sentido de la vista, dijo Pappaeus mientras alzaba su copa para que le echara vino uno de los esclavos que atendía a los comensales. Polybius dijo que él opinaba como Epicuro que de todos los objetos que nos rodean se destacan continuamente imágenes que penetran en nuestros ojos, y que éste es el origen del sentido de la vista. Carisio dijo que él pensaba como Platón que brotan de nuestros ojos ciertos rayos de fuego y de luz, que mezclados con los del sol, o a la luz de otros cuerpos, iluminan con su propia fuerza y con la que toman, todos los objetos que encuentran, haciéndonos verlos por este medio. En este momento Pappaeus amenazó con retirarse con la excusa de que al día siguiente empezaba la cosecha de la cebolla y que tenían pocos días para cosecharla porque había que aprovechar que la luna estuviera en su declinación, porque si se esperaba a la luna llena, la cebolla se secaba. Todos le pedimos que se quedara pues su participación en las discusiones que se tenían, era esencial para darle brillantez a la reunión. Amablemente aceptó quedarse. Le dije a Pappaeus que en relación a lo que él decía de la influencia de las fases de la luna en las cosechas, quería narrarles una experiencia que había tenido hacía ya varios años. Fui invitado por mi amigo el poeta Anniano, a pasarme una temporada en una finca que tenía en la campiña de los Faliscos, donde feliz y alegremente se dedicaba a los trabajos de la vendimia. Durante la comida de la primera noche de mi estancia, sirvieron abundante cantidad de ostras, pero éstas estaban consumidas y secas. Dijo Anniano, excusándose por el estado de las ostras: "La luna se encuentra sin duda en su declinación, y la ostra, como otras muchas cosas, está consumida y seca." Le pregunté que cuáles eran las otras cosas que experimentaban también la influencia de la luna, y me dijo: —¿Has olvidado los versos de nuestro Lucilio? La luna alimenta las ostras, llena los erizos, engorda las ratas y los corderos.

Me quedé asombrado de la gran influencia de la luna en determinados productos y animales. Siricus añadió que nos fijáramos en los ojos de los gatos, estos crecen y decrecen dependiendo de las fases de la luna. Para cambiar de conversación Carisio dijo que el otro día se había extrañado al oír a un testigo ante un tribunal elaborar la contestación a una de las preguntas de un abogado y no a limitarse a contestar sí o no como estimaba que era la norma que se seguía. Todos los comensales me miraron esperando que fuera yo el que aclarara tal complicada situación. Empecé por decir que en efecto era regla en el arte de la dialéctica que, interrogado un testigo, debía responder sí o no solamente. El que se separa de esta regla y responde con mas extensión o de otra manera, podía enredarse y de hecho se enredaba en sus propias palabras.

—Estimo, dije, que el testigo debe responder sí o no la mayoría de las veces, pero también hay casos en que no puede responderse con un sí o con un no, sin quedar cogidos en las redes que ha tendido el abogado de la parte contraria. Por ejemplo, si se le pregunta a un testigo, como lo he visto hacer: "Ruégole que conteste: ¿se ha corregido su amigo Casio del adulterio a su esposa?" Contestando que sí o que no, el testigo estaría aceptando que Casio ha sido o es adúltero a su esposa. He aquí por qué, después de instruir a mis testigos en como contestar, les aclaro que no respondan a las preguntas capciosas siguiendo la regla general—. Complacidos quedaron todos con la aclaración mía a la duda expresada por Carisio. Hablamos de otras cosas interesantes y cuando ya nos disponíamos a irnos, Carisio preguntó a Polybius qué había de cierto en lo que se decía que tocando la flauta de cierta manera se curaba la gota ciática. Como casi todos los presentes padecían de tan terrible mal por estar viviendo su vejez, rondaban los cincuenta años, hicieron el más absoluto silencio, pendientes de las palabras del médico Polybius. Éste aclaró que era falsa esa creencia que se había regado por todo el Imperio de que la flauta tocada de cierta manera mejoraba los dolores producidos por la gota ciática. —Basta que se toque la flauta, no importa de qué manera, para que enseguida se note mejoría en dichos dolores.

Con esta intervención de Polybius, se dio por terminada tan agradable reunión. Nos despedimos de Arrius y lo felicitamos por tan extraordinaria velada.

Cuando cruzaba la puerta de salida, se me acercó el pontífice Siricus y me preguntó si podía acompañarme hasta la villa que había alquilado por el verano, que quería hablar conmigo sobre algo muy íntimo y que tenía que asegurarle, aunque daba por descontado que así sería, la más absoluta reserva. Mientras caminábamos, empezó a decirme que me tenía una estimación especial y que a nadie apreciaba tanto como a mí. Por eso sentía la necesidad de hablar conmigo y de comunicarme la gran experiencia que había tenido, así como la gran decisión que había tomado.

Le expresé que siempre había pensado que algo, no sabía qué, nos unía. Le indiqué que lo achacaba a los misteriosos efluvios de energía magnética de que nos habla Ancias el gran filósofo, que hacen que dos personas afines en carácter se unan en una estrecha amistad.

—Yo tampoco sé lo que es, posiblemente sea como Ud. dice, lo que nos ha dejado escrito Ancias, pero lo que sé es que "eso" me impele a hablarle de algo muy íntimo que sólo he dicho a mi padre poco antes de su muerte y a contado número de miembros de mi culto.

Ibamos caminando por la sección norte de la Vía dell'Abbondanza a menos de cincuenta pasos de una taberna, refugio nocturno de los amantes del dios Baco. Invité a Siricus a entrar en ella a tomar vino mientras hablábamos y este aceptó gustoso. Los pocos clientes que había, estaban totalmente en las garras del dios vestido con la piel de tigre. Ocupamos una mesa a la que llevamos una ánfora de vino y dos vasos para tomarlo.

—Es tarde y no quiero tomarme más tiempo que el necesario, por lo que voy a evitar toda disgresión del tema, —empezó a decir Siricus—he sufrido tanto, que no quisiera ver a nadie pasar por lo mismo. Desde muy joven me creí llamado al sacerdocio por la diosa Vesta. Quise dedicarme de por vida a mantener en su honor el fuego eterno, en los templos erigidos para su adoración. Como usted sabe, este culto fue instituido por el rey Numa. Esta diosa vela por el símbolo de la vida doméstica es decir por el hogar, establece que la felicidad del hogar radica en la fidelidad de los cónyuges. Por eso, porque sufría en mi hogar por las terribles peleas entre mis padres, por las infedilidades de ambos, es que creía me había llamado la diosa Vesta para que atendiera su fuego eterno. Cuando le dije a mi padre sobre mis planes, acostumbrado a mandar como estaba, me dijo que antes que yo pensara en eso, ya él tenía planes para mí. Me mandaría a Atenas a que aprendiera todo lo relacionado con la uva desde su siembra hasta su cosecha y su posterior conversión en vino. Me dijo que en Roma no se producía un vino tan exquisito como en Atenas y que él quería acabar con eso y que dedicaría la tierra baldía que poseía alrededor de Nápoles, a la siembra de la vid y me pondría a mí al frente de dicha empresa una vez que regresara de Atenas, con los conocimientos necesarios. Le dije que la diosa del hogar y del fuego, símbolo de la vida doméstica y de la fidelidad, me llamaba para que dedicara mi vida a su culto y que ya había sido aceptado en el Gran Templo en Génova a donde marcharía para comenzar mis estudios dentro de dos días. No se opuso pero supe que esa había sido la decepción más grande que había sufrido en toda su vida. Vine poco a casa durante el período de estudio y preparación y cuando lo hacía, en raras oportunidades pude hablar con mi padre. Veía que el se unía más y más a mi hermana, que para no molestarlo, menos por cariño que por convertirse en la única heredera de mi padre, también me evitaba e ignoraba. Yo sufría con el desdén de mi hermana, pero me alegraba que hiciera feliz a mi pobre padre. Mi madre, veinte años más joven que mi padre, no paraba en la casa, no la vi para despedirme de ella cuando me marchaba a Génova y sólo la vi una vez mientras duraron mis estudios. Cuando terminé mis estudios me ordenaron ejercer por varios años en Roma, cosa que Ud. sabe por las frecuentes visitas que le hice. Sin esperarlo me ascendieron a Pontífice Máximo y me trasladaron a Pompeya, cosa que no entendí porque generalmente no se mandan a ejercer a los pontífices a las ciudades de donde son originarios. Cuando llegué a mi ciudad natal, lo primero que hice fue ir a ver a mi familia. Sólo estaba mi padre en casa. Nunca me fue a ver durante mi permanencia en Roma, aunque sabía que había estado en dicha ciudad en varias oportunidades. Para mi sorpresa, me recibió visiblemente contento, sabía de mi traslado a Pompeya y estaba ansioso de verme cuidar del fuego eterno de la diosa Vesta, acompañado por las viudas "que nada tenían que hacer a excepción de eso," era como se refería a ellas, más por ignorancia de sus verdaderas obligaciones que por desprecio. Además, decía utilizando su mejor arma, la ironía, quería verme encender el nuevo fuego, caso de ser necesario, utilizando los rayos del sol pasándolos por cristales. Se rió y terminó diciendo que esta dedicación mía, aunque daba menos dinero, era también menos el trabajo que tenía que realizar, si lo comparábamos al trabajo de la siembra y cosecha de la uva. Me reí, lo veía contento. Recordó nuestras vacaciones en el Lacio cuando era casi niño. Nunca mi madre fue con nosotros, sólo mi padre, mi hermana y yo. Nos bañábamos en el Tirreno y pescábamos. Mi padre se enfurecía porque siempre pescaba más que él. Yo sabía que él simulaba ese enojo, sabía que en el fondo, le encantaba que lo venciera. Con el transcurso del tiempo me he dado cuenta que en muchas ocasiones se ha dejado vencer por mí. Mi hermana, la pobre, siempre anheló una madre que nunca tuvo. Yo también, aunque la facilidad de adaptación que siempre he tenido y mi gran fe religiosa me hizo extrañarla menos. Cuando mi madre abandonó el hogar definitivamente, y se fue a vivir con un funcionario de baja categoría de un pueblo vecino, mi padre necesitó más a sus hijos, en realidad me necesitó más a mí, pues a mi hermana siempre la había tenido. A los pocos meses de mi llegada a Pompeya, mi padre iba a verme a mi casa, que estaba al lado del templo, casi todos los días y hasta llegó a participar en las ceremonias de la purificación del fuego. Después pasábamos el día juntos hablando del pasado y de lo que lo habíamos desaprovechado, de lo poco que nos conocíamos y de lo mucho que teníamos en común. Poco a poco me fui dando cuenta de que si él me necesitaba, yo, quizás, lo necesitaba más. A pesar de haber logrado mi anhelo, el de ser Sumo Pontífice, no era un hombre feliz. Algo me faltaba y no sabía que cosa era. Estando con mi padre se disminuía esa ansiedad que a veces me quemaba. Me acuerdo cuando lo invité a la primera consagración de vírgenes vestales que tuvo lugar bajo mi pontificado en Pompeya. Seguramente usted sabe que las candidatas a este sacerdocio deben de haber cumplido seis años y no pasar de diez, y sabrá también que todo el rito de la consagración está regulado, hasta en los detalles más mínimos, por la ley Papia. Pues bien, esta ley establece que el Pontífice Máximo al tomar la vestal, debe pronunciar las siguientes palabras: "Amada, te tomo según las leyes: hágote vestal y te encargo cumplas con todo lo que la vestal debe hacer por el pueblo romano." Mi padre que había permanecido todo el tiempo que duró la consagración en el templo, se me aproximó al final de la ceremonia y me dijo que él no comprendía qué placer podría tener yo estando con unas niñitas y que, si yo quería, él todavía tenía algunos contactos que me encontrarían verdaderas mujeres que me satisfarían a cabalidad. Esto se lo cuento para que se dé cuenta de lo separado que mi padre estuvo de toda religión y, en consecuencia, no se podía esperar mucho de él en cuestiones de moral. Sólo se podía esperar de él que tuviera la moral que existía en la sociedad en la que vivió. Me acuerdo que tuve que explicarle que yo no tenía ninguna relación con las vírgenes vestales y que si bien el pontífice máximo las llamaba "amada" al tomarlas de sus padres, se debía a que así estaba establecido en el ritual, por haberse llamado Amada la primera virgen vestal consagrada. Suspiró, se le había quitado un gran peso de arriba, pero se quedó esperando mi respuesta con respecto a buscarme una mujer que me satisfaciera, pero decidí no contestarle. Él, producto de su época, no podría comprender mi actitud. Sería muy indigno de mi parte que siendo las encargadas del fuego de Vesta, vírgenes; yo, el Pontífice Máximo, no guardara la más estricta castidad.

La Providencia quiso darle vida a mi padre, la suficiente, para que nos hiciéramos amigos. Comía todas las noches en su casa y cambiábamos impresiones de lo que acontecía en Roma y en el Imperio. Mi hermana se nos unía a veces, pero la mayoría de las noches comía sola; la pobre, con lo que significaba el dinero para ella, se veía fracasada en sus planes tendientes a que mi padre me desheredara. Le digo que necesitaba más a mi padre de lo que él me necesitaba a mi. Una noche me dijo que quería que yo me ocupara de su fortuna al morir, que la administrara y diera a mi hermana lo suficiente para que pudiera vivir bien y que no le manumitiera a ninguno de los esclavos que él le dejara. Esto le preocupaba enormemente porque yo había manumitido a los esclavos que tenía como Pontífice Máximo. El día en que manumití a mis esclavos, fue un día terrible para mi hermana la cual explotó el hecho hasta la saciedad con mi padre con el único objeto de demostrarle lo irresponsable que era yo. Mi padre, al cual le había dicho con anterioridad la decisión que iba a tomar, no le hizo el menor de los casos, contándome con una gran desilusión, la actitud aviesa de mi hermana.

En esta época tuve que ir a Roma por cuestiones administrativas del Templo. Terminadas las obligaciones que me habían llevado a dicha ciudad, quise ir a la alta y solitaria colina del Vaticano para aislarme y poder meditar sobre lo vacía de mi vida a pesar de tener todo lo que un ser humano podía desear. Estando allí, era tanta la pena que sentía, que lloré como un niño. Se me acercó un hombre, ya entrado en años, con una mirada tan penetrante y una voz tan dulce que me hizo, sin haberlo visto antes, reclinar mi cabeza sobre su pecho. Me dijo que lo que me atormentaba no podía ser tan grave, que sólo era grave el no conocer al Hijo de Dios, Jesús. No le entendí y le pedí que me explicara quien era ese Jesús al que llamaba "Hijo de Dios." Sin esperar su contestación, le pregunté que si ese Dios era algo así como el demiurgo. Se sonrió y dijo que sí que era algo semejante, pero que éste era el verdadero y único Dios que había mandado a su Hijo para que lograra nuestra salvación, pero, como estaba escrito, lo traicionamos y crucificamos. Le pregunté que si en venganza había mandado todas las enfermedades y miserias conocidas sobre la tierra.

"No, se equivoca usted. Él era todo misericordia, ya clavado en la cruz, pidió a su Padre que nos perdonara, porque no sabíamos lo que hacíamos al crucificarlo".

Le pregunté que cómo habiendo estudiado todas las religiones existentes, nunca había dado con ésta que habla de perdón y de salvación.

"La crucifixión del Hijo de Dios ocurrió cuando Tiberio gobernaba. Como ves no hace mucho tiempo y además se la quiere ignorar por el impacto que su mensaje causa. Combate la idolatría y nos enseña que hay un sólo Dios. Como podrá comprender esto no le cae muy bien a los césares".

Le dije que no entendía nada de lo que decía. Más sin embargo eso del perdón a los enemigos me atraía enormemente.

Me cogió por el brazo guiándome hacia el centro de la colina y una vez allí dijo que en ese lugar se erigiría el altar del primer templo de la nueva religión que sería edificado en Roma. Me invitó a comer a su casa que estaba cerca. Mientras comíamos me habló de la resurrección de Jesús, al tercer día de haber muerto, el más grandioso milagro que hizo de entre los cientos que realizó. Me habló, Anacleto, que así se llamaba el santo varón, de uno de los principales mandamientos de la nueva religión que era el amar a nuestro prójimo y practicar la caridad con nuestros semejantes."

Le dije a Anacleto que volvería, pero que antes tenía que atender ciertos negocios de gran importancia. Entonces Anacleto comenzó a hacerme un cuento que, al principio, no comprendí: Dijo que caminando con Jesús grandes multitudes se dirigió a ellos diciéndoles: "Si alguno quiere venir a mí, y no deja a un lado a su padre, a su madre, a su mujer, a sus hijos, a sus hermanos, a sus hermanas, o aun a su propia persona, no puede ser mi discípulo..." Me costó trabajo comprender lo que quería decirme, pero cuando logré entenderlo, le expliqué quien era y le conté de mis obligaciones para con los que me consideraban un guía y un faro de luz en las tinieblas de sus días vacíos. Le señalé que estaba seguro, por lo que yo representaba para ellos, que muchos me seguirían y se convertirían a la nueva religión. Pareció comprender lo que le decía, y mirándome a los ojos me dijo que esperaba verme pronto con mis amigos. Nos despedimos con un abrazo y mirándome dijo que el futuro de la nueva religión estaba lleno de grandes escollos, que sus miembros sufrirían inmisericordes persecuciones y asesinatos masivos porque el césar, cualquiera que fuera éste, se opondría a que sus dioses e ídolos fueran olvidados y sustituidos por un único y verdadero Dios, pero que al fin vencería la religión verdadera, la de Jesús. Finalmente me dio un libro para que lo leyera, en él, me dijo, se contaba toda la historia de Jesús como predicador, "está escrito por un médico seguidor de Él llamado Lucas", me dijo.

Salí de la casa hecho un hombre nuevo. Había encontrado la felicidad que tanto me había esquivado. Quería bautizarme, es decir, pasar por el ritual necesario para hacerme miembro de la nueva religión. Quería dedicarme por entero a ella.

Camino a Pompeya tomé la firme determinación de contarle todo a quien era mi mejor amigo: mi padre.

Fui a su casa antes de ir al templo. Me encontré a mi padre en cama, a su lado estaba nuestro amigo el médico Polybius. Este me dijo que había sido llamado por uno de los esclavos de mi padre, al verlo vomitar humor negro. Cuando llegué, otros esclavos lo habían acostado y limpiado. Me dijo que mi padre se había puesto muy contento cuando lo había visto y que de inmediato le había preguntado por mí. Me contó, que le había contestado que dado el número de días que hacía te habías ausentado, te encontrarías seguramente camino a Pompeya.

—Después de lo cual, cerró los ojos y se quedó dormido. Ha estado durmiendo desde entonces. Ahora me voy, tengo otros pacientes que ver. Mientras recogía sus instrumentos médicos le pregunté si mi hermana estaba enterada del estado de nuestro padre. Me contestó que sí, que le había mandado informar de todo y que había contestado que no podía bajar porque la estaban peinando y arreglando para la gran fiesta de esa noche en casa de Epidius Rufus.

Estábamos en las calendas de marzo, el baile de Rufus era famoso y ya era tradicional. Debido a que en ocasiones se había convertido en verdadera francachela mi padre le había prohibido a mi hermana que fuera a dicho baile. Por eso no comprendía la actitud de mi hermana de ir a un baile al que mi padre le había prohibido asistir, especialmente estando él enfermo. Me senté en una butaca al lado de la cama de mi padre. Miraba su rostro adusto, su nariz afilada, sus labios ahora casi sin color. Cuánto habrá sufrido este hombre en su vida y que poco le he dado yo al que, ahora me doy cuenta, me ha dado tanto a mí. Estuve así mucho tiempo de acuerdo con el clepsydrae que tenía en su aposento porque ya yo no tenía concepto del tiempo. Abrió los ojos y cuando me vió, lloró de alegría. Me preguntó que desde cuándo dormía. Le dije que no se preocupara que el médico Polybius me había dicho, que lo dejara dormir porque el mucho dormir le daría fuerzas y ayudaría a reponer. Me preguntó por mi hermana y le contesté que no la había visto. Volvió a cerrar los ojos y se quedó dormido nuevamente. Le dije a los esclavos que me llamaran de inmediato si volvía a despertarse.

Fui a ver a mi hermana, estaban terminando de peinarla y vestirla. Nunca he podido comprender como las mujeres pueden aguantar siete horas o más ese martirio del peinado; le pregunté que cómo iba a ir a un baile al cual nuestro padre estaba opuesto a que ella asistiera, más cuando él estaba tan enfermo.

—¿Enfermo de qué?

—¿Es que me vas a decir que no te lo han informado?

—Un esclavo me dijo que había vomitado humor negro, y que tu amigo Polybius se hallaba junto a él. Ya me habían empezado a peinar, estaba bien atendido, ¿para qué iba a bajar? Además, no sabía que hubiera seguido enfermo.

Me retiré, no había necesidad de hablar nada más. Comí algo antes de volver al aposento de mi padre. Cuando entré al mismo, estaba dormido. Uno de los esclavos que lo atendían me informó que no se había despertado.

Después de un rato de estar en la habitación llegó mi amigo Polybius. Trajo ciertas pociones hechas por él y se las dio a tomar a mi padre. Después me pidió que lo acompañara afuera. Dejamos a mi padre nuevamente al cuidado de los esclavos. Fuimos al peristilo y allí me dijo que el vomitar humor negro era síntoma de una enfermedad, casi siempre mortal, producida, generalmente, por beber agua de nieve que ya el gran Aristóteles había probado fehacientemente que era dañina para la salud. Le indiqué que se lo tenía prohibido, pero que valiéndose de esclavos que buscaban sus favores, se las agenciaba para tomarla. Dijo entonces Polybius que mi padre estaba muy débil, pero que el peor mal que tenía era que ya tenía sesenta y dos años y que yo sabía perfectamente que ningún ser humano, estaba probado, vivía más allá de sesenta y tres años, y que por todo eso debía esperar lo peor. Dijo que le había suministrado una poción que había dado resultados satisfactorios en varios casos en que la había utilizado anteriormente, pero que no me daba seguridad de nada.

Pasaron los días y mi padre se mejoró visiblemente, tanto, que un día me lo encontré completamente vestido listo para salir a inspeccionar sus viñedos que, para su triunfo personal, estaban dando una uva, y por lo tanto un vino, mucho mejor que el ateniense, el cual había multiplicado sus entradas. Me invitó a que lo acompañara cosa que acepté de inmediato, pensando que esa sería la oportunidad que buscaba desde mi regreso de Roma, de contarle la experiencia tenida en dicha ciudad. Le rogué que, como estaba en el camino, pasáramos por casa de Polybius para que lo examinara y autorizara el viaje. Con una carcajada desechó la idea. Era de nuevo el hombre seguro de sus decisiones, era el hombre que me había hecho hombre. En el camino se quejó varias veces del calor que hacía, pero a pesar de esto, no paró de hablar sobre sus planes de comprar los terrenos colindantes a los suyos para expandir sus viñedos. Estaba tan alegre y locuaz que no quise interrumpirlo para contarle lo vivido por mí en Roma. Cuando llegamos, sin reponerse del largo viaje empezó a caminar por el viñedo, probando dos o tres uvas de cada lote. Se veía alegre, contento por haber vencido la enfermedad que lo había puesto al borde de la muerte, hacía sólo días. Yo creía lo mismo, o me lo quise creer.

Cuando regresábamos de la larga caminata por el viñedo, iba apoyado en mí. Había dejado de hablar por el gran esfuerzo que esto le representaba. En el camino de regreso a la casa le eran visibles en el rostro los síntomas de su extraordinario cansancio. Cuando llegamos, lo acosté y se quedó dormido de inmediato. Ordené que me pusieran una cama en su aposento y allí estuve durmiendo en los primeros días críticos, después dormía en mi aposento de niño. Estaba igual a como lo había dejado. Mi misma cama y lámparas y el mismo mural en el que aparecía el príncipe troyano Eneas a quien hizo Virgilio el héroe de la Eneida siendo sometido a una operación quirúrgica en un muslo, acompañado por su hijo Ascanio. Pensando en mi niñez me quedé dormido. Fui despertado de madrugada por un esclavo: mi padre había vuelto a vomitar humor negro. Cuando llegué a su aposento ya habían limpiado todo. Me quejé a un esclavo por no haberme llamado antes. Mi padre intervino diciendo que como me conocía bien, de sobra sabía que no me gustaban los malos olores y que por eso había ordenado que se limpiara todo antes que se me llamara. No pude contestarle, toda la ira que tenía se desvaneció. Me pidió que me sentara y que le leyera algo. Determiné leerle el libro que me había dado Anacleto. El libro estaba escrito en griego, idioma que mi padre conocía perfectamente y el cual me había enseñado. Yo lo había leído varias veces y cada vez que lo leía, se afianzaba más mi decisión de convertirme a la nueva religión, sin importarme las persecuciones a que fuera sometido en un futuro. Sin decirle nada sobre su procedencia, empecé a leerle el libro. Noté desde el primer momento el gran interés que despertó en él. Cuando llegué a la parte de la anunciación de Jesús, en la que el ángel dice a María: "No temas, María, porque has hallado gracia delante de Dios, y concebirás en tu seno y darás a luz un hijo, a quien pondrás por nombre Jesús. . . contestándole María al ángel: ¿Cómo podrá ser esto, pues yo no conozco varón? y el ángel le responde diciéndole: "El Espíritu Santo vendrá sobre ti, y la virtud del Altísimo te cubrirá con su sombra, y por esto el hijo engendrado será santo, será llamado Hijo de Dios". En esa parte mi padre no pudo más y sacando fuerzas de flaquezas se sentó en la cama y me pidió que le volviera a leer el pasaje. Se lo volví a leer y entonces comentó: "Luego nació de una virgen." Cuando terminé de leerle el libro, me rogó que se lo dejara para leerlo en los momentos en que tuviera suficientes fuerzas. Se acomodó en la cama y antes de irme de la habitación profirió en alta voz, "la venida de un Salvador del género humano. Siempre he pensado sobre el por qué el demiurgo no nos salva a todos los creados, de este terrible destino de vivir sin esperanzas.

Había estado escuchando por más de una hora sin interrumpir a Siricus pero me pareció pertinente decirle que el nacimiento del llamado Hijo de Dios era muy interesante y diferente a todo lo que había leído y escuchado.

—Me atrevo a decirle que no se puede imaginar usted nada de lo que hizo ese Santo Varón. Si quiere le dejo copia del libro de Lucas. Mi padre, queriendo hacer algo por los de la nueva religión, ordenó a sus esclavos griegos que copiaran el libro. Hoy tengo diez copias y un grupo de personas decididas a acompañarme en mi viaje a Roma para unirnos a los de la nueva religión. Estoy seguro que usted, que tiene un espiritu analítico tan selecto, al leer el libro, se unirá a ellos.

Me mostré entusiasmado en poder leer el libro de Lucas. Le dí disculpas por haberle interrumpido y le rogué que continuara hablando.

—Pues bien, aproveché el impacto que le había causado a mi padre la lectura del libro de Lucas, para relatarle todo lo que me había pasado en Roma con Anacleto y mi firme decisión de dejar mi Pontificado Máximo y unirme a la nueva religión. Me rogó que esperara a que se pusiera bien para ir a Roma y hacernos, juntos, miembros de la nueva religión. Poco después volvió a leer el libro de Lucas y noté que lo había afectado enormemente, mucho más que cuando lo oyó leído por mí. Estuvo un tiempo con los ojos cerrados y después me dijo que mi situación era muy difícil puesto que el culto a la diosa Vesta era un culto oficial. Me aconsejó que aunque él no pudiera acompañarme a Roma, antes de unirme a la nueva religión esperara por su mejoría para que pudiera hablar con determinados funcionarios amigos de él al objeto de que yo no sufriera ningún daño. Pero mi padre se fue empeorando cada día más al extremo que en los últimos días Polybius no salía de su casa. Después de una agonía larga y muy dolorosa, mi padre murió. Mi hermana, cuando vio que el fin estaba próximo, no salía del aposento de nuestro padre, su dolor ahora era verdadero, pero desgraciadamente su odio hacia mí se acrecentaba al ver lo unido que estábamos mi padre y yo, cosa que ella podía haber sospechado, pero nunca al extremo de lo que era en realidad.

A los pocos días de haber muerto mi padre, me fui a vivir a mi casa al lado del templo. En realidad lo hice por el desagrado que me causaba la vida que mi hermana había escogido vivir. Imagínese, inmediatamente después de morir mi padre, empezó a recibir seres extraños cuyas conductas afianzaron y, sin duda, apresuraron mi decisión de abandonar la casa paterna.

Varias semanas después de haberme mudado, mi hermana me invitó a comer. Esto me extrañó porque desde que mi padre se había enfermado, ella nunca comía conmigo, cosa que no pasó inadvertida para él. A pesar de esto, acepté la invitación totalmente enternecido.

Cuando llegué aquella noche, estaba muy solícita. Le diré que me conmovió porque ella era lo único que tenía en este mundo y porque habíamos, indudablemente, pasado juntos muchos momentos agradables, en nuestra niñez. Pedí ir a la habitación de nuestro padre, mi hermana me acompañó y también un viejo esclavo griego que mi padre había comprado mucho antes de yo nacer y que había sido mi preceptor de niño. Muchas cosas de mi padre quise llevarme conmigo, pero para evitar problemas con mi hermana, que no me quitaba la vista de encima, las dejé allí, no las quise ni tocar. Cuando regresamos al peristilo el viejo esclavo no cesaba de darme vueltas hasta que en una oportunidad, sin que mi hermana lo viera, me dijo que no comiera nada porque ella había envenenado la comida. Tuve que controlarme para no irme de inmediato de la casa, pero para que no pensara que algún esclavo me había informado de sus planes, me quedé. Nos sentamos a la mesa y de inmediato fingí sentir un terrible dolor de estómago, parece que exageré la nota, pues los esclavos se asustaron sobremanera por mis gritos y aspavientos. Después de un rato dando vueltas en el suelo, determiné irme y le pedí que permitiera a Zósimo, el esclavo viejo que me había informado sobre el veneno, que me acompañara a casa y que se quedara un tiempo conmigo para que me atendiera. Mi hermana me respondió llena de ira que me lo prestaba hasta el amanecer del día siguiente, "porque eso de libertar a los esclavos propios para luego utilizar los ajenos, era muy cómodo pues le ahorraba mucho a uno en comida y otros gastos, pero que ella no prestaba sus esclavos." Esto que le acabo de contar, olvídelo por favor, de inmediato.

Desde la muerte de mi padre he estado arreglando todo lo concerniente a la dejación del cargo de Pontífice Máximo, así como disponiendo todo lo necesario para que se cumplan no solo las disposiciones testamentarias de mi padre sino también un sinnúmero de peticiones que me hizo en los últimos días de su existencia. Entre las disposiciones testamentarias se encontraba la de la liberación de todos sus esclavos, excepto los dejados a mi hermana, incluí a Zósimo entre los primeros, el cual, después de aquella noche, nunca devolví a mi hermana a pesar de sus constantes ruegos y amenazas. Además he tenido que pasar por una serie de trámites legales para traspasar todos mis bienes a mi hermana, tanto los dejados por mi padre como los míos propios, incluso mi parte de la casa en la que viví mi niñez y adolescencia. Calculo que lo que me queda por hacer no me llevará más de dos días, entonces informaré a los fieles del templo mi decisión y los invitaré a que se unan a los fieles más allegados a mí, a los que ya he hablado, en mi viaje a Roma a ayudar a propagar la fe en el Hijo de Dios. ¡Ojalá que Ud. se decida acompañarnos una vez que lea el libro de Lucas que le entrego!

Me levanté para expresarle a Siricus, mi comprensión de su estado de ánimo y lo interesante que me había resultado todo lo que me había contado sobre el Hijo de Dios, cuando el volcán Vesubio, considerado extinto, lanzó un fuerte rugido y lenguas de llamas empezaron a salir por su cráter. No podía creerlo, por siglos había estado sin eructar. Súbitamente las llamas dejaron de verse al ser cubiertas por una lámina blanca que no era otra cosa que ceniza ardiente que se veía caer en las afueras de la ciudad pero que con seguridad caerían pronto sobre nosotros. La taberna en donde estábamos, carecía en muchas partes de techo, por lo que le dije a Siricus de correr hasta la casa de Arrius Polites, para protejernos de la ceniza ardiente que pronto caería sobre nosotros. Corrimos hasta la casa de Arrius, cuando llegamos me di cuenta que nuestras túnicas y sandalias estaban chamuscadas por las cenizas ardientes que ya caían profusamente en la ciudad. La puerta estaba abierta y el interior de la casa estaba en un completo desorden, todos corrían para tratar de apagar los fuegos que se habían desatado en distintas partes de la casa. Fuimos hasta el triclinio para incorporarnos a los que luchaban por salvar la casa, allí estaba, con su túnica hecha girones y sus pies ya sin sandalias por haber sido estas devoradas por el fuego, Claudia, mezclaba sus gritos de dolor con las órdenes que impartía a los esclavos para que apagaran los fuegos que amenazaban con destruir la casa. Busqué a Siricus, sus piernas eran devoradas por el fuego. Quise hacer algo por él pero ya no me podía mover, mis piernas estaban enterradas en cenizas. Me abracé a una de las columnas que rodeaban el triclinio. Hice un esfuerzo extraordinario para llegarme a Siricus y decirle que pidiera a Jesús por mí. No pude, las llamas y cenizas que me rodeaban me impedían respirar, empecé a toser constantemente. Sabía que moriría.

—¿Qué te pasa que estás tosiendo tanto? Te he buscado por todas estas ruinas y resulta que todavía estás aquí en la Casa del Moralista. ¿Estás tratando de memorizar lo escrito en la pared? No tienes que hacerlo, está aquí, en el libro que compré: "Mantenga sus pies limpios y no ensucie su ropa de cama; respete a las mujeres, evite usar groserías delante de ellas; contenga su ira y no injurie. De lo contrario váyase a su casa".

—No, no trataba de memorizar nada. Si supieras, no sé por qué no podía respirar. Seré alérgico a alguna planta de las que hay por aquí. Pero es curioso que ahora pueda respirar sin problemas.

—Bueno vamos, que todavía nos falta mucho por ver.

VIII

Salimos rumbo a Roma al amanecer del siguiente día. Estaba muy cansado pero tenía unos deseos inmensos de regresar a la Ciudad Eterna. Nada teníamos ni nadie nos esperaba en esa gran ciudad, mas sin embargo estaba ansioso de llegar a ella, quizás por ser nuestra última escala en nuestro viaje de regreso a nuestra patria. Llegamos a Roma temprano en la mañana bajo un fuerte aguacero acompañado de una tormenta de rayos. Nunca había oído truenos tan estrepitosos. Fuimos de nuevo al hotel Accademia, por su situación y por lo bien que nos atendieron cuando nos hospedamos anteriormente en él. Además le había pedido a su gerente que retuviera cualquier mensaje que llegara para nosotros que lo recogeríamos a nuestro regreso. Nos consideramos con una suerte tremenda cuando encontramos parqueo en la plaza en frente del hotel. Estaba lloviendo tan intensamente que determinamos no apearnos del automóvil porque llegaríamos al hotel empapados. Pusimos el radio para pasar el tiempo. Por primera vez desde que habíamos llegado a Italia, poníamos el radio. Nos llamó la atención el que sólo hubiera cuatro o cinco estaciones y que todas ellas, excepto una que transmitía un juego de balompié internacional, transmitían música clásica. Estuvimos más de quince minutos esperando a que escampara. El aguacero continuaba sin que se le viera un fin inmediato y esto aumentaba mi impaciencia y mi temor a que el hotel dispusiera, mientras yo esperaba a que escampara, de sus últimas habitaciones no ocupadas, por eso decidí hacer la reservación en ese momento aunque me ensopara. Cuando llegué a la carpeta del hotel, fui reconocido de inmediato por el empleado, el que me dijo que tenía una serie de mensajes que resultaron ser del Encargado Cultural. Cumplidos los trámites necesarios para registrarme y dada una suculenta propina al gerente por dejarme utilizar la habitación antes de las doce del día sin cobrarme la noche anterior, me dispuse ir a buscar a mi esposa con un paraguas prestado por el hotel, paraguas que no evitó el que me empapara nuevamente al sacar las maletas y llevarlas al hotel, cosa que mi esposa consideró necesario y esencial hacerlo en ese momento. Después de bañarme y descansar algún tiempo con los ojos cerrados, llamé al Encargado Cultural. Se mostró muy sorprendido porque pensaba que los recados que me había dejado, nunca llegarían a mí y que no nos veríamos más. Le dije que le estaba muy agradecido y que siempre lo hubiera llamado antes de irme y que además nos veríamos, estaba seguro, en mi país cuando él regresara a su puesto. No contestó nada, y al cabo de unos segundos de embarazoso silencio, nos invitó a comer esa noche; pasaría a buscarnos a las nueve. Cuando se lo dije a mi esposa, se creó un cataclismo: tenía que lavar y planchar un vestido, pues no tenía ninguno limpio.

Como la vi tan sinceramente preocupada, le dije que descansara y que cuando escampara iríamos a la calle Corso para que se comprara un vestido. Le encantó la idea, sentí como se relajaba. Entonces empezó a mirar cada cinco minutos por la ventana de la habitación a ver si había escampado y cuando esto sucedió, salimos de inmediato a comprar el dichoso vestido.

A las nueve en punto estábamos en el vestíbulo del hotel, esperando al Encargado Cultural y a su esposa. Llegó a la hora convenida. Se bajó solo de su automóvil y después de saludarnos amablemente nos escoltó hasta su carro, en donde tampoco estaba ella. Supuse que la iríamos a buscar porque, pensé, que no habría estado lista cuando el esposo había salido a buscarnos. No pude evitar pensar, con cierta satisfacción, que se estaba arreglando con esmero para lucirme bien a mí. Apreté la mano de mi esposa que tenía entre las mías, para que me perdonara el mal pensamiento, ésta me miró esperando que yo le hiciera alguna indicación, sólo le guiñé un ojo y ella se sonrió. El Encargado Cultural manejaba nerviosamente, iba a gran velocidad. Vi que ignoró la existencia de dos luces rojas en su afán de llegar a su casa y recoger a su esposa. Cuando paró el automóvil, como soy muy mal observador, pensé que estábamos en su casa y esperaba que nos pidiera que nos bajáramos. Mi esposa me tocó por el brazo y me dijo que ya habíamos llegado al restaurante.

Al entrar en el restaurante el maitre vino a saludar al diplomático y nos condujo, según nos dijo, a la mejor mesa del restaurante. Pedimos tres daiquirís mientras decidíamos entre los distintos platos del menú. Me daba cuenta que la situación era muy rara, y decidí que por educación debía decirle que demoraríamos nuestra orden hasta que llegara su esposa. Él me miró fijo a los ojos y me dijo: "mi esposa nunca llegará." Mi esposa entonces le dijo que si su esposa se encontraba indispuesta, la comida bien se hubiera podido aplazar hasta que estuviéramos en nuestro país. Él contestó que, en ese caso, nos moriríamos de hambre porque ella nunca asistiría. Mi esposa y yo nos miramos, ¿qué habría pasado? No preguntamos nada y él no hizo por explicar nada. Para romper el espeso silencio que se había adueñado de nuestro tiempo, le pregunté a mi esposa qué era lo que iba a ordenar. En ese momento él hizo un gesto como pidiendo la palabra y dijo que nos había invitado a comer porque con nosotros se sentía acompañado y no sólo rodeado de personas. Nos dijo que ese era el precio que tenían que pagar los diplomáticos, es decir, no tener amigos, estar rodeados constantemente de gente voluble y frívolas. Sin embargo, dijo, que con nosotros se sentía con personas de cierto peso y sobre todo con personas que sabían agradecer, sentimiento muy difícil de encontrar entre los insectos que generalmente asisten a las actividades sociales de los diplomáticos.

—¿Saben ustedes que mi esposa de tantos años, me ha abandonado y se ha ido con un don nadie, funcionario de un pueblito de las afueras de Roma? No, no traten de evitar manifestar la sorpresa que les ha causado. Por años quise evitar separarme de ella. He aguantado lo indecible. Tomé por excusa mi religión para no separarme, pero creo que la verdad es que una inercia absoluta me invadió, además de una total cobardía, y no me enfrenté a una realidad tan cruel y en mi opinión inmerecida. Mi infelicidad ha sido constante, excepto en nuestros primeros años de casados. Entonces conocí la felicidad, para desgracia mía, porque luego la infelicidad me pareció más amarga e inexplicable. Recuerdo nuestra luna de miel en Sorrento, en una villa que mi padre había adquirido cuando yo era pequeño y en donde pasaba la mayoría de los pocos días de descanso que le eran concedidos. La villa daba al Tirreno adonde bajábamos a bañarnos, mi recién estrenada esposa y yo, todas las mañanas.

Mi padre, debido a sus estudios y dedicación, había alcanzado el rango de embajador, lo había alcanzado mucho antes de llegar Mussolini al poder; debido a eso, a su cargo diplomático, a pesar de su gran amor por Italia, se había pasado casi toda su vida en el extranjero por lo que hice todos mis estudios de primaria y de segunda enseñanza en colegios jesuitas en España, Inglaterra, Alemania y Francia, terminando en ésta última la segunda enseñanza. Entonces mi padre me mandó a estudiar Derecho Civil y Diplomático a Italia en donde nací y en donde sólo había vivido alrededor de dos años, si sumamos las vacaciones que había pasado en la casa familiar en Roma con las que había pasado en Sorrento. Así que, cuando empecé mis estudios en la universidad de Bolonia, de italiano tenía poco. Cuando los terminé, el primero de mi clase, perdónenme la vanidad pero no puedo evitarla, me fue fácil, por mi expediente, y por mi conocimiento de cinco idiomas importantes entrar en el Ministerio de Relaciones Exteriores. Como había sufrido mucho con los constantes cambios de colegios y de idiomas a que había sido sometido, no pasó por mi mente casarme y mucho menos tener hijos, porque al haber escogido la carrera de mi padre, sometería a mi esposa e hijos a los mismos sufrimientos a los que fuimos sometidos mi madre, a la que le encantaba Italia y su gente, y yo.

Estando destinado en Alemania, conocí a la hija del entonces embajador de Italia en dicho país, y todos mis planes variaron. Llegué a sentir por ella lo que nunca había sentido por ninguna mujer, nos enamoramos y casamos después de un corto período de noviazgo. Deben de saber que en aquella época todo se hacía rápido porque nadie sabía lo que podía pasar mañana. La guerra se vislumbraba. Después, las tragedias se sucedieron: La destrucción de nuestras ciudades y con ellas de nuestra historia y, por último, la derrota infame y en el plano personal, las traiciones de muchos a los que considerábamos amigos y a los que, a alguno de ellos, habíamos ayudado. Fue un gran golpe. Llovieron acusaciones sobre mi padre que llevaron a su encarcelamiento. Desde el primer día estuve a su lado luchando por su libertad. Pero Dios no nos abandonó. El alcaide de la cárcel, al cual no conocíamos, lo invitó a pasar las noches en su casa, durante la semana que demoraron en fijarle fianza. Fue la única persona que sintió alguna conmiseración por nosotros en aquellos días en que todos querían que se supiera su supuesto antifascismo. Al fin, mi padre salió incólume de toda aquella barahúnda de acusaciones injustificadas hechas por sus enemigos fascistas, por supuestos amigos y por vecinos. Se le reintegró a su cargo, aunque él prefirió retirarse, y se le devolvieron todos sus honores y todas sus propiedades. Sus muebles, obras de arte y joyas les fueron robados y muy pocos pudieron ser recuperados. Algunos de los muebles y obras de arte los he visto en recepciones, a las que he asistido, en casas de las más "prestigiosas" familias de Roma.

Lamentable, aunque merecida, fue la suerte que corrió el suegro mío. Fue perseguido con saña por los incontables enemigos que había hecho durante su carrera. Un hombre que había llegado a tener cierto prestigio por su ascendencia con el Rey, traicionó a éste y se hizo fascista cuando Mussolini ocupó el poder. Fue, y lo sé por mi padre, el verdadero artífice del eje Roma-Berlín y su consejo fue determinante para que Italia entrara en la guerra, guerra en la que nada tenía que ganar. Mi padre, y de esto hay cantidad de documentos que lo prueban, trató de evitar que Italia entrara en la guerra, y si se quedó como diplomático al desoírse su consejo, fue porque el Rey se lo pidió. Bueno, les he hecho toda la historia de mi vida sin entrar en lo que les quería contar. Como les dije en éste ya largo monólogo, mi esposa, que todavía lo sigue siendo legalmente y yo, pasamos la luna de miel en Sorrento, fue inolvidable. Mi casa, como ya les he dicho, estaba situada en las laderas de una montaña que daba al mar. Desde los balcones se veía el Tirreno y el infinito. Mis primeras poesías las escribí en mi primer verano pasado en la casa. Claro que era poesía de un adolescente que quería sentirse italiano porque había nacido aquí, pero que no se sentía nada. ¿No es horrible eso? Cantaba al Tirreno como mar italiano y decía que era el más hermoso que había visto en mi ya largo peregrinar por el mundo.

Al entrar en la universidad, hasta me molestaban los gestos y el hablar tan alto de mis coterráneos, pero poco a poco empezaron a aflorar aquellos sentimientos patrióticos que mi padre me había insuflado desde casi mi niñez, llegando a ser tan fuertes que cuando Italia entró en la guerra, a pesar de considerar ésta decisión totalmente sin fundamento, me inscribí de inmediato en el servicio militar. Fui exento por ser un diplomático en activo, pero seguí la guerra con ahínco, con enormes deseos que mi patria ganara. Al considerar la guerra perdida, hablé con mi padre sobre lo fútil que era el continuarla, cuando la derrota era su único fin. Mientras más rápido se le pusiera término a tan descabellada aventura, más pronto el pueblo dejaría de sufrir las inmensas necesidades que estaba padeciendo y se le evitarían las que padecería de continuar la contienda. Mi padre concordó conmigo en todo diciéndome que otros diplomáticos y amigos con los que había hablado, pensaban lo mismo que nosotros, pero que nadie se determinaba a hacer algo por el terror que había sido implantado. Me encareció mucho que no hablara nada de esto con mi suegro, advertencia totalmente superflua, debido a lo bien que conocía a tan camaleonesco personaje.

Conversé sobre el mismo asunto con mi padre en dos oportunidades más, la última con otros diplomáticos presentes que pensaban lo mismo que nosotros. En esta reunión se nombró un triunvirato para que hablara con el Rey al objeto de conocer la opinión de éste en relación a la destitución del Dictador y en caso de que simpatizara con esta idea, recomendarle las medidas necesarias a tomar para que se pudiera llevar a cabo la misma.

En estos trajines estábamos, cuando el rey Victor Manuel III, con la colaboración del mariscal Badoglio, dio el golpe de estado que defenestró a Mussolini. Estaba destinado en Alemania cuando tuvieron lugar estos acontecimientos. ¿Qué hacer? Si me declaraba a favor del golpe sería aprehendido por la Gestapo, y si me declaraba en contra traicionaba mis más sólidos principios. Opté por no precipitarme. El embajador, suegro mío, quería pasarse a las huestes de Badoglio, pero temía, porque durante años se había vendido como el más incondicional de los amigos del dictador. Tuve la gran suerte que Badoglio, aconsejado por no se qué cretino, hizo declaraciones de que seguiría luchando al lado de Alemania. Era mi gran oportunidad. Le dije a mi esposa que nos iríamos enseguida a Roma para enterarnos de lo que en realidad estaba pasando. Ella lo consultó con su padre y éste le dijo que, muy por el contrario, éste era el momento de apartarse del centro porque uno podía dañarse. Insistí y salimos para Roma después de un fuerte disgusto con mi esposa, la que quería quedarse con su padre.

Mi padre no se encontraba en Roma por lo que, sin ver a nadie en el Ministerio, seguimos rumbo a Sorrento. Mi padre sabía de mi viaje y me estaba esperando. Me contó que el golpe nada tenía que ver con los diplomáticos con los que habíamos conversado, y que al principio del mismo, temiendo que fuera una treta de Mussolini, para conocer quienes eran sus enemigos, había decidido no apresurarse a actuar, pero que al ser llamado por Badoglio, junto con tres diplomáticos más para que lo pusieran al día en los asuntos internacionales, aprovechó para convencerlo de que hiciera las paces con los aliados y les prometiera la ayuda del ejército italiano. A la salida de la reunión con Badoglio, había ido al Ministerio y había logrado con el nuevo Ministro de Relaciones Exteriores que se me llamara a Roma urgentemente, pero ya me había marchado. Me pidió que lo acompañara a su despacho y después de hacerme prometer no decir nada a nadie ni a mi esposa, me contó que ya había salido rumbo a Lisboa un emisario con poderes extraordinarios al objeto de reunirse con representantes de los gobiernos aliados, para firmar la rendición de Italia. Me quedé sorprendido de lo rápido que todo se había llevado a cabo.

El día nueve de septiembre las tropas aliadas desembarcaron en Salerno y al día siguiente tomaron Sorrento estableciendo un hospital en una de las residencias abandonada del pueblo.

Mi esposa se dedicó a visitar a los heridos de guerra recluidos en el mismo, como obra de caridad y además como agradecimiento a estos soldados que "nos habían librado del fascismo." Esa frase en boca de una persona que hasta entonces sólo se había ocupado de usufructuar las relaciones de su padre con el fascismo, llamaba la atención a todos los que la oían.

Con el tiempo sus visitas al hospital se hicieron más y más frecuentes, para sorpresa de los que la rodeaban.

Un día descubrí, accidentalmente, mientras buscaba una pluma que mi madre me había regalado cuando tenía doce años, y con la que había escrito todos mis exámenes del bachillerato y de la carrera y que, no se por qué, no había querido llevar conmigo cuando me destinaron en Alemania, una foto dedicada de un soldado aliado. La dedicatoria era absurda y ridícula a más no poder, decía, más o menos, "a mi gatica italiana." Me reí y no le presté, créanme, la más mínima atención, hasta inclusive se me olvidó preguntarle a mi esposa sobre el joven de la fotografía. Otra de las cosas de las que me acuerdo de aquella época y a la que no le dí importancia alguna, fue que una tarde de inmenso frío mi esposa se empeñó en ir al hospital, yo me opuse porque era una tontería y además no teníamos mucha leña para mantener la casa caliente y cuando regresara tardaría en entrar en calor. Mi padre, que oyó la conversación, le ofreció el automóvil pues había conseguido que le dieran veinte litros de gasolina. Hasta le ofreció que el chofer, reliquia que mi padre había heredado de mi abuelo y que lo mantenía en su nómina con otras funciones, pues como chofer en pocas oportunidades lo había usado por estar destinado siempre fuera de Italia, la llevaría. Ella se opuso y se fue sola. Cuando regresó, al cabo de dos horas, tenía la saya toda manchada de fango. Se bañó apresuradamente y cuando fui a ponerle alcohol en las heridas que, me imaginaba tendría, producto de la caída que habría sufrido, no encontré el más mínimo rasguño. Sé que les pareceré elemental, frívolo y superficial pero no le dí importancia ni a la fotografía ni a la caída sin rasguños.

Le dí importancia después, a los pocos meses cuando, una vez en Roma, encontrándome inmerso en el juicio que le seguían a mi padre acusado de mil atrocidades, fui a almorzar con su abogado a un restaurante cercano a los tribunales. Allí me encontré a mi esposa con el galán de la foto. Almorzaban. Su turbación fue extraordinaria y sólo por esta turbación y porque el joven militar salió corriendo cuando me vio al seguir la mirada de espanto de ella, lo comprendí todo. Entiendan que nunca me había ni imaginado la posibilidad de que mi esposa me fuera adúltera. ¿Qué razón tendría? En mi opinión nos queríamos. Aquel mediodía lluvioso quedaría para siempre grabado en mí. Había puesto fin a mi vida que había sido plácida, a pesar de todos los sufrimientos pasados en mi niñez y adolescencia y los traídos posteriormente por la guerra. En el momento en que me iba a dirigir a ella, llegó el abogado de mi padre que había ido a hacer una llamada telefónica. Ella aprovechó mi momentánea distracción para desaparecer. Cuando llegué a casa aquel día, me la encontré en bata de casa y los ojos rojos de haber llorado. Le dije que recogiera sus cosas y que se fuera. Se negó, me juró que me quería y que nunca me dejaría, me juró además que nunca había estado con el soldado y que había ido a almorzar con él debido a sus ruegos por que, decía, se sentía muy solo. Insistí en que se marchara. Me preguntó que adónde iría, que las propiedades de su padre habían sido confiscadas, que si quería ayudar aún más a que se produjera el fallecimiento de su padre que, a simple vista, estaba próximo. Debí haber insistido en que se fuera de la casa, a casa de una amiga o de una enemiga, pues en aquellos tiempos no sabía uno con quien trataba, pero fui débil, muy débil y ella se aprovechó debidamente de esa debilidad que supo reconocer en mí. Lo cierto es que la dejé permanecer en casa. También influyó que sólo tenía cabeza para dedicarme al juicio que seguían a mi padre. Por cierto que por esta época recibí otro fuerte golpe. Resulta que el fiscal de la causa de mi padre era un antiguo compañero mío de la universidad, el cual estudió con una beca dada por los jesuitas. En la universidad nos hicimos, más o menos amigos. Era un muchacho de provincias que vivía en una habitación del colegio de los jesuitas en la ciudad. Debido a esto me pidió el apartamento en varias oportunidades para llevar muchachas con las que intimaba. Nunca me habló de esas citas ni me dijo el nombre de ninguna de las muchachas que había llevado. Esta reserva, poco frecuente en muchachos de esa edad, me gustó, era lo que mi padre siempre me había aconsejado, que nunca comentara nada de las muchachas con las que estuviera; por eso respetaba a este muchacho a pesar de que a algunos de mis compañeros no les gustaba mucho. Un día lo vi marchando con unos obreros en huelga y por broma me uní a la marcha. Se molestó, me dijo que yo no era de esa clase, sino de la de los privilegiados. Me lo dijo seriamente, no me afectó lo que dijo sino con el odio con que lo dijo. Después de graduarnos no lo vi más, aunque sabía de él en las reuniones anuales de nuestro curso, a las cuales él nunca asistía. En una de esas reuniones me dijeron que estaba peleando en la guerra civil española, y que lo llamaban "el ejecutor de los Cristos" porque los fusilaba en la plaza frente a la iglesia de donde los sacaba. En otra oportunidad me dijeron que era homosexual. Me acuerdo que esto último lo negué diciéndole a mi informante que le había prestado mi apartamento en varias ocasiones para que llevara muchachas. Él se rió y me preguntó que si me había presentado a alguna de las muchachas que había llevado a mi apartamento. Es más, me preguntó si yo lo había visto con alguna mujer alguna vez. La verdad era que nunca lo había visto con ninguna mujer. A los pocos días olvidaba todas esas cosas y no volvía a pensar en ellas hasta la próxima reunión del curso.

Cuando me enteré que el fiscal era él, vi los cielos abiertos. No importa qué, habíamos sido amigos. Lo fui a ver y me recibió muy solícito. Hablamos de muchas cosas de cuando éramos estudiantes. Me contó que había ido a pelear en la guerra civil española porque simpatizaba con la república. Que allí, había conocido a Togliatti el que había sido, por un tiempo, jefe de la brigada en la que había luchado. Debido a esto habían llegado a tener gran amistad, debiéndole a eso el puesto que actualmente tenía. Me dí cuenta que esto me lo decía para que me impresionara con su amistad con el Presidente del Partido Comunista Italiano. Esperé callado para ver si me contaba si su amigo Togliatti había participado con él en la batalla de "la ejecución de los Cristos", pero se quedó callado, bajó la cabeza y empezó a mirar, como si nunca antes la hubiera visto la pluma "Mont Blanc" que tenía entre las manos. Fue entonces cuando aproveché para empezar a hablarle del caso de mi padre. Hipócritamente me dijo que no sabía que él tuviera su caso, que por favor, comprendiera que eran tantos que él no podía saber quienes eran los encartados. Se puso a buscar entre los expedientes que tenía apilados sobre la mesa. Encontró el de mi padre y se puso a leerlo. Me di cuenta que estaba actuando y que no podía esperar de él el menor rasgo de piedad inspirado en la amistad que un día nos unió. Me levanté para irme pero él, con un gesto farisaico, me pidió que me sentara. Estuve mirándolo mientras pretendía estar leyendo la causa contra mi padre. Al fin suspendió la actuación y me dijo que el caso de mi padre era muy difícil y que quizás él no pudiera hacer nada; sin permitirme hablar, con aire de superioridad, me dijo que tenía que comprender que los causantes de que el régimen fascista se hubiera mantenido en el poder por tanto tiempo, tenían que pagarla. Le refuté, controlando la ira que me ahogaba, que mi padre no había cooperado con el régimen depuesto, que sólo se había limitado a cumplir sus obligaciones representando dignamente a Italia en el exterior y que no había aceptado prebendas de ninguna clase del régimen caído. Con una sonrisa en sus labios finos me apuntó que todos nosotros, los burgueses, éramos iguales, que cuando nuestros protectores caían en desgracia, no queríamos saber nada de ellos, que no sabíamos lo que era la amistad.

—Creo que eres tú el que no sabes lo que es la amistad, yo tu amigo de la universidad, es el que te pide que no prolongues sin fundamento el juicio de su padre que es totalmente inocente. Sé que él nada tiene de que arrepentirse y que saldrá indemne del juicio.

—No eres más que un rico desconocedor de lo que es la vida. Todo te lo han dado, no te mereces nada, no comprendes el nuevo mundo que nace. Me levanté y ya en la puerta le dije que él tenía razón, que nosotros los burgueses no podíamos comprender "su nuevo mundo", porque teníamos reglas no escritas por las cuales nos regíamos y que éstas no se podían aprender sino que había que mamarlas desde la cuna. Me fui dando un portazo. En el salón de espera vi rostros dignos que las circunstancias los habían hecho depender de la voluntad de un "mata Cristos". Al día siguiente le conté la entrevista que había tenido con mi compañero de curso y fiscal de la causa de mi padre, a su abogado, el cual comprendió mi decisión de entrevistarme con él, pero se rió a carcajadas, diciéndome que si le hubiera consultado me habría quitado de la cabeza lo de la entrevista, porque a pesar de que le llamaran "el Látigo", no había que temerle porque todo lo que, ese señor, tenía de irreflexivo y de insensato lo tenía de incompetente. En el transcurso del juicio, me dí cuenta que lo que el abogado de mi padre me había dicho era cierto, pues aunque le era imposible probar los cargos en contra de mi padre, sí hubiera podido prolongar el juicio, cosa ésta, que era su objetivo, pero gracias a Dios, el mismo se terminó en menos de un mes para desilusión de mi incompetente ex amigo, el que en definitiva cayó en desgracia con su amigo Togliatti por los constantes escándalos con homosexuales que protagonizaba en su misma oficina. Nunca más lo vi ni he sabido a derechas nada de él, sólo rumores de segunda mano que lo ponían como ejerciendo la prostitución homosexual en la ciudad de Hamburgo, pero todo habladurías, nada cierto, en realidad nada me importaba su miserable vida. Volvamos a la también miserable vida mía. Miserable, pero en otro sentido. Mejor sería llamarla una vida sin sentido. Nunca quise tener hijos para que no sufrieran lo que yo sufrí, que ya les he contado, y sin embargo hoy cuánto desearía tener un hijo que me abrazara y consolara y que me cuidara y atendiera como yo atendí y cuidé a mi padre; pero no lo tengo y cuando hace seis años perdí a mi padre, ya mi madre había muerto, perdí lo único que tenía en la tierra. Créanlo era lo único. A él le debo todo lo que soy y su ejemplo siempre he seguido. Traté por todos los medios de que mi padre no se enterara de lo que mi esposa hacía. Se habría muerto, no por lo que ella hacía, sino por que yo lo tolerara. Cuando mi padre murió estaba destacado en Japón. La noticia de su gravedad, crisis cardiaca, la recibí de madrugada y de inmediato empecé a preparar todo para nuestro viaje a Italia. Ella simuló estar dormida pero cuando hice reservaciones en la compañía de aviación para ella y para mí, me dijo simplemente "yo no voy."

Traté de convencerla, pero todo fue inútil. En aquel momento pensé divorciarme de ella, porque al no ir ella a Italia conmigo, me estaba demostrando un desprecio absoluto a mis más profundos sentimientos. Cuando su padre fue juzgado, a pesar de siempre haberlo considerado a él, por decirlo bien, lejos de ser una persona decente, fui todos los días con ella al juicio, acompañándola en momentos que sé que le fueron muy dolorosos porque, estoy seguro, aunque ella nunca lo comentó conmigo, que en el juicio se enteró de muchas de las cosas horribles que había hecho su padre. Allí se enteró que el padre había intervenido, como intermediario, en más de un negocio sucio de Mussolini, se enteró de denuncias que había hecho a varios de sus compañeros en el servicio diplomático de Italia de ser anti-fascistas. Entre los denunciados se encontraba, para mi sorpresa, pues no consideraba que mi suegro pudiera descender tan bajo, mi padre; se enteró de otras lindezas, entre ellas su posible, aunque nunca probada, complicidad en el asesinato de un enemigo del dictador. El tribunal fue benigno con esa alimaña, pues se le condenó a sólo siete años de cárcel y a la confiscación de todas las propiedades que había adquirido durante el régimen de Mussolini, pero le respetaron la jugosa fortuna que su padre, poderoso financista, le había dejado en herencia. Mientras estuvo preso, su hija lo visitaba todas las semanas. Durante ese tiempo no me acompañó a ninguno de los puestos a que fui asignado y se negó a vivir en la casa de mi padre en Roma, aunque mi padre vivía, ya retirado, en Sorrento.

Pues bien, como les decía, me sentía tan agobiado y tan solo en el mundo y me pareció tan ridículo el insistirle en que me acompañara en tal momento de tristeza, que nada más le dije.

Para llegar lo antes posible a Italia, tuve que cambiar tres veces de aeroplano. Mi llegada a Roma fue muy triste. No pude evitar compararla con otras en las que había llegado lleno de esperanzas. Fleté un avión para llegar lo antes posible a Nápoles y de allí alquilé un taxi hasta Sorrento. Fui a la casa primero para averiguar a que hospital lo habían llevado, pero estaba en la casa, se había negado terminantemente a ser movido de la casa. El médico de él de toda su vida, había llevado una serie de aparatos de su consulta y los había instalado en el cuarto de mi padre. Estaba durmiendo, el médico estaba con él. Cuando me vio se puso muy contento. Salimos de la habitación y me dijo que mi padre preguntaba mucho por mí. Me explicó todo sobre la crisis cardiaca que había sufrido. Me dijo que su estado actual era gravísimo pero que había que pensar que mi padre había sido un hombre saludable y que la esperanza era lo último que se debía perder.

Pasé días enteros al lado de mi padre. Le leía la prensa diaria. Me dictó mensajes de agradecimiento a todos, amigos y funcionarios del gobierno, que se habían interesado por él. Me dictó una carta para el primer ministro De Gasperi aconsejándole en determinado problema y éste le contestó dándole muestras de su agradecimiento. Fueron meses en que viví a plenitud, aunque sabía que él se estaba muriendo. Aunque su cerebro estaba lúcido, notaba, a simple vista, como perdía peso. Fue prudente hasta el final, nunca me preguntó por mi esposa. Una mañana después de ser lavado por la enfermera, me disponía a leerle la prensa diaria cuando, con voz queda, me dijo que no, que solamente le hablara. Yo sabía que iba a morir, pero ya nada podía hacer. Había comulgado esa mañana antes de desayunar y la Extremaunción le había sido administrada el mismo día en que sufrió la crisis cardiaca. Sólo podía pedir a

Dios que mis presentimientos no se materializaran. Empecé a hablarle de nuestras primeras vacaciones en Sorrento, de aquel verano inolvidable en el que salíamos a pescar casi por la madrugada y regresábamos a la hora de almuerzo con las manos vacías, pero felices. Le hablé de cuando en ese mismo verano después de la cena me llamó a su despacho y me regaló "El Conde de Montecristo," el mismo libro que él había leído y que su padre le había regalado. Él sonreía y de pronto levantó su mano para que le diera la mía. Se la di. Seguí hablando de aquel verano inolvidable, mis palabras salían mezcladas con lágrimas. Sentí cuando murió. Me apretó la mano y oí un sonido gutural. Me tuvo hasta el último momento. Yo no tengo a nadie, ¡pero es que soy tan poco en comparación a él!

Por primera vez comprendí a aquellas personas que no quieren irse de una ciudad porque allí están enterrados sus muertos, pero tenía que irme, volver a Tokio, no a ella sino a mi trabajo, a mi libro que estaba escribiendo desde hacía tantos años con el cual mi padre me había ayudado tanto y que en estos últimos días había insistido en que lo terminara. En estos meses no supe nada de ella. Recibía comunicaciones de la embajada sobre asuntos relativos a mi trabajo y en tres ocasiones me había llamado el Embajador para preguntarme por mi padre del cual era amigo personal. Nada me dijeron de ella y como es lógico no les pregunté.

Cuando llegué a Tokio después de meses de separación y después de pasar por tan terrible dolor, me encontré con que mi esposa se hallaba fuera de la ciudad. Al día siguiente me incorporé a mi trabajo. A los dos días regresó ella, muy apenada por haberse encontrado fuera de la ciudad cuando había regresado. En realidad no me importó esto ni otras muchas cosas más que hizo en nuestra ya larga vida conyugal.

Sin embargo, ahora estoy triste. Me ha dejado, cosa que en realidad ansiaba; y, entonces, ¿por qué estoy triste? Pues... vine a Italia con ella, no porque su mamá hubiera sufrido un accidente, sino porque necesitaba un cambio de aire, ver a aquéllos con los que había compartido un pedazo de mi vida, quizás el mejor. Conocedores de mi regreso varios compañeros de la carrera convocaron al curso para una reunión comida. Hacía años que no nos reuníamos. La comida fue desastrosa para mí. Muchos no fueron, habían muerto o se encontraban enfermos. Fue una experiencia espantosa. Se sentó a mi lado un compañero con el cual había hablado mucho durante los años de estudio de la carrera y después en las reuniones del curso y en distintos actos sociales en los que habíamos coincidido, noté que le costaba trabajo llevarse el tenedor a la boca por lo que evité entablar conversación con él hasta que terminara de comer. Una vez que había terminado de comer el postre, noté que me estaba mirando, me puse contento, esperaba que comenzara una conversación. Súbitamente, me preguntó si yo era del curso o amigo de alguno de los del curso, porque mi cara le era algo conocida. Al principio pensé que bromeaba, pero luego me di cuenta que estaba completamente arteriosclerótico. En vez de servir para alegrarme, la reunión me entristeció. Pero me sirvió para estarle más agradecido a Dios por la salud física y mental que me había dado. Mi gran y único problema dependía enteramente de mí para vencerlo. Después de la reunión con mis compañeros de curso, me invadió una gran depresión, al extremo que determiné retirarme como diplomático e irme a vivir a Sorrento para terminar mi nuevo libro; el primero se había vendido bastante bien. Su éxito me produjo una gran alegría sólo empañada por no poderla compartir con mi padre. Si ella me acompañaba o no, no me importaba, ya estaba acostumbrado a sus ausencias, pero antes sabía que en cualquier momento regresaría. Lo nuevo, es el dolor de saber que no regresará más.

Ahora los llevaré de regreso al hotel, sólo he hablado yo, pero recuerden lo que se dice, que el hombre más inteligente es el que sabe escoger, cuando tiene algo que decir, a aquéllos que saben escuchar. Les estoy muy agradecido.

Mi esposa y yo ni nos miramos, no nos habíamos mirado durante todo el tiempo que duró la larga y humillante confesión de nuestro amigo, sólo nos apretábamos las manos, que habíamos mantenido cogidas, en los momentos más tensos y vergonzantes. Al despedirme le extendí la mano y le dije que contara con nuestra amistad y comprensión y que pensara que todos nos habíamos sentido humillados alguna que otra vez y que lo esperado de nosotros era superarnos y seguir avanzando a pesar del dardo humillante. Le dije que él era un hombre preparado como pocos y que tenía mucho que darle al mundo inclusive hasta quizás un hijo y que ese hijo podría ser el producto del amor de una mujer que además lo respetara y admirara por sus grandes condiciones y su gran intelecto. Le hice saber que en nuestro país tendría siempre dos amigos. El Encargado Cultural sacó el pañuelo y se enjugó las lágrimas que no había podido contener a pesar del esfuerzo que había hecho. "Se lo agradezco, se lo agradezco", dijo, con una sinceridad que me conmovió. No quería separarme de él, sabía que nos necesitaba. De pronto dijo, mientras se levantaba y con un gesto nos indicaba que hiciéramos lo mismo, "mañana antes de irme para Sorrento tengo que hablar con el cheff de este restaurante, está usando aceite de oliva de las islas, debe usar el proveniente de los olivíferos de la península, es de mejor calidad. Seguramente, continuó dirigiéndose a mi esposa, usted como buena gourmet, habrá notado la viscosidad del que usaron hoy." Reíamos todavía mientras caminábamos hacia el automóvil que ya estaba a la puerta del restaurante. Durante el viaje de regreso hablamos poco y cuando llegamos al hotel, antes de despedirnos, le pedí su dirección en Sorrento y le dije que quisiera en un futuro próximo conocer la casa que tanto significaba para él. Me contestó que era una lástima que tuviéramos que irnos, porque si no fuera así podríamos ir juntos al otro día, pero que de todos modos en la tarjeta que me entregaba estaba su dirección y teléfono y que cuando quisiéramos podíamos ir. Nos despedimos con un fuerte abrazo.

Cuando pedí la llave en la carpeta, el empleado me entregó un mensaje que habían dejado para mí. Abrí la nota. Antes de leerla me fijé en la firma, era de la esposa del diplomático, decía: "Solamente para expresarle que pudo haber sido con usted o con cualquier otro. Ya no soy joven y a él nunca lo he querido. Júzgueme, si lo hace, con benevolencia". Estrujé el papel y lo tiré en el cesto de basura de la carpeta. Mi esposa me estaba llamando pues el elevador había llegado.

IX

Ansiábamos tanto regresar a nuestra patria que hasta el pesado y largo viaje de regreso nos pareció corto.

Mi esposa veía cercana ya la hora en que le contaría a sus amigas todo lo que habíamos visto y todas nuestras aventuras. Salpicaría, estaba seguro, el relato con algunas inexactitudes, pero también estaba seguro que a nadie contaría la gran historia triste que, para dudoso honor, éramos los únicos en saberla en nuestro país, del abandono, por su esposa, del Encargado Cultural amigo nuestro.

Nos recibieron en el aeropuerto las dos familias, esto creó el primer problema: en cuál de los dos automóviles nos trasladaríamos a casa. Diplomáticamente dije que lo echaríamos a suerte y así lo hicimos, tocándole en suerte al automóvil de papá. Ya todo estaba arreglado y todos manifestaban su felicidad por nuestro regreso, cuando mi suegra preguntó por qué su hija no podía ir con ellos. Su esposo evitó un posible incidente al contestarle que lo habíamos echado a suerte y que la suerte no le había tocado a ellos. Entonces, casi gritando, nos pidió que no habláramos nada del viaje en el trayecto a la casa.

Cuando llegamos, ya se encontraban en la casa mis suegros, habían preparado copitas de vermouth y galleticas previamente compradas por ellos para la ocasión. El apartamento estaba limpio, más limpio que nunca antes, seguramente las dos familias habrían competido entre sí en la limpieza, y el resultado era éste: un apartamento esmeradamente pulcro, con el canario vivo y las plantas con un aspecto muy saludable.

Empezamos a hablar y hacer cuentos del viaje y cuando nos dimos cuenta eran más de las dos de la mañana. La suegra quería saber más del viaje y cuando prácticamente halada por su esposo salía de la casa, le dijo a mi esposa, mirando a mi madre: "Mañana te llamaré para que me cuentes otras cosas." Mi padre, que desde que había llegado, y siempre que había tenido oportunidad, me preguntaba sobre mis estudios e investigaciones, nos invitó a comer, cuando nosotros determináramos, para que le enseñara las copias que había hecho de los distintos manuscritos que había estudiado. La invitación a comer, así como el interés demostrado por mi padre en mis estudios, le ocasionó a mi suegra un ataque de ira que desahogó, limpiando con furia incontrolable el picaporte de la puerta de la calle. Fue algo sencillamente ridículo. Después, con voz suave, nos invitó a comer una vez que lo hubiéramos hecho en casa de mis padres.

Al día siguiente me levanté muy temprano y empecé a revisar las notas que había hecho sobre los manuscritos. No me sorprendió que las notas más extensas fueran las que se referían a las Institutas de Gayo. Puse todas las notas junto con las copias de los originales que había hecho, en un archivo y me fui a bañar. Mientras me bañaba pude respirar el suave aroma del café nuestro. Supe que mi esposa estaba preparándome el desayuno. Volvíamos a la ansiada y agradable monotonía.

Mientras desayunaba sonó el teléfono. Mi esposa contestó, era para mí. Pensé que era alguno de mis compañeros de bufete ansioso de quitarse mi trabajo de arriba y lo sorprendería con la noticia de que me estaba preparando para ir a verlos. Pero no, para mí sorpresa era la hermana del Incorruptible. No había hablado nunca con ella y me extrañó que ella supiera de mi existencia. Me dijo que lamentaba profundamente molestarme cuando calculaba que acabábamos de regresar de nuestro viaje, y lo calculaba porque en los dos últimos días había estado llamando a cada rato para ver si habíamos regresado, hasta ahora que, al fin, habíamos contestado la llamada. Quería hablar conmigo personalmente sobre un asunto de importancia extrema para ella. Antes de poderle contestar algo, me preguntó si yo sabía que su hermano había muerto. Se me cayó el auricular de las manos, mi esposa me miró extrañada. Reaccioné, seguramente era mentira. Estaba seguro que papá me lo habría dicho, pero a lo mejor no, para no causarme un disgusto el mismo día de mi llegada. Mientras pensaba esto, la voz continuaba hablando y sólo oí cuando decía que se alegraría mucho si pudiera ir a verla hoy. Le contesté, más por curiosidad por conocerla que por otra razón, que tan pronto pudiera pasaría por su casa. Después de colgar le dije todo rápidamente a mi esposa, mientras llamaba a papá antes que se fuera a su trabajo. Contestó él mismo al teléfono y sin casi saludarlo le pregunté si él sabía que el Incorruptible había muerto. Se quedó aturdido y me preguntó que quién me había dado la noticia. Con esta reacción de su parte supe que era verdad lo de la muerte del Incorruptible. En ese momento todo había perdido importancia para mí, él lo presumió y me repitió la pregunta respuesta en un tono suave y cariñoso. Le contesté que su hermana me lo había dicho y que quería verme hoy. Le pregunté si él se imaginaba para qué ella quería verme y me contestó que ni siquiera sabía que el Incorruptible tuviera una hermana. Entonces me contó que todo fue una tragedia, apropiada a lo trágica que había sido su vida, que no fue más que una sucesión de infortunios. — Como tú sabes, comenzó a contarme, el Incorruptible había sido aceptado de nuevo en la Iglesia, pero aunque se le permitió vestirse con sotana y decir misa en privado, no se le permitía hacerlo en público ni confesar, "como sabes las cosas de la Iglesia van despacio;" pero hace cuestión de dos semanas se le nombró auxiliar del párroco de una iglesia cercana permitiéndole, por tanto, ejercer todas las atribuciones propias de un sacerdote, además le permitieron retornar a su cátedra de Filosofía. Me contó el sacerdote amigo suyo en la misa que se dijo por su alma, que estaba contentísimo y enteramente feliz, como cuando lo conoció en el seminario donde estudiaban. Pero sucedió que el día en que se trasladaba a su nueva iglesia, esperando el ómnibus que lo llevaría a su destino, que ya se aproximaba, un automóvil que venía a exceso de velocidad, con idea de pasarle al ómnibus, se encontró con que la luz del semáforo había sido cambiada a la roja, frenó abruptamente. Como había llovido resbaló de una manera tan aparatosa que se metió en la acera, dándole tal golpe al Incorruptible que lo incrustó en un poste de luz eléctrica que estaba en la esquina. Murió en el acto. Dicen los médicos que no sufrió nada.

Mientras me vestía oía su última frase, "dicen los médicos que no sufrió nada." El pobre, toda su vida fue un sufrimiento, ya nada le quedaba por sufrir. Me despedí de mi esposa y cogí el papel en donde había apuntado la dirección de la hermana del Incorruptible.

En menos de media hora ya estaba en su casa. Una casa buena en un barrio que a toda velocidad cambiaba de uno de clase media alta a otro de clase media baja. Toqué a la puerta y me imaginé a Peluca abriéndola, pero no, era una muchachita joven con un uniforme blanco impecable. Sin preguntarme quien era, me mandó pasar a una especie de recibidor en donde, mientras esperaba, me puse a contemplar un bello cuadro, el único que adornaba las paredes del recibidor. Era un fragmento de la Adoración de los Magos de Ghirlandaio, pero no pude leer el nombre del pintor de la copia. Sin haberse dejado escuchar, llegó la hermana del Incorruptible.

Después del lógico estrechamiento de manos, me cogió por el brazo y me llevó a la saleta. Ésta olía a humedad y a simple vista uno se daba cuenta que sus ventanas, hacía tiempo no se habían abierto.

Antes de sentarse, encendió una lámpara que casi no nos sacó de la penumbra en la que estábamos sumidos. Llegó la criada que me había abierto la puerta, con una bandeja y dos copitas de vermouth. La hermana del Incorruptible le dijo que no quería ser molestada por nadie mientras durara mi visita.

Empezó lo que yo creía que iba a ser una conversación y que resultó un monólogo, diciéndome que quería excusarse conmigo por haberme hecho ir a su casa sin tan siquiera conocerme, pero que algo le impelía a hablar conmigo y que lo achacaba a la amistad que me unía a su hermano. Dejó de hablar y me estuvo mirando fijo por un rato como estudiándome, el silencio se prolongaba no teniendo yo intención de interrumpirlo. Cambió la vista, ahora se miraba los zapatos. Eran negros como su vestido. Ella no era bonita y se podía determinar que nunca lo había sido. Se parecía a su hermano.

Esto era algo negativo, pues su hermano no resaltaba por su apariencia física.

Comenzó de nuevo a hablar diciéndome que su hermano le había hablado mucho de mí. La interrumpí aclarándole que su hermano me había contado que ellos dos no se hablaban hacía mucho tiempo, y que según tenía entendido era ella la que no tan sólo no le hablaba sino que rehuía toda reunión con él. Se sorprendió, me dijo que no se imaginaba a su hermano contándole eso a nadie. No contesté nada, qué podía contestar, sólo moví la cabeza en un gesto que nada decía. —Pero yo estoy segura, continuó diciendo, que por mucho que se sintiera unido a usted, no le contó todo. Yo sí se lo contaré todo y la verdad, no las mentiras que él le habrá dicho y lo haré por lo que luego le explicaré.

Ella me miraba fijamente tratando de descubrir si estaba interesado en lo que iba a decir y también con temor a que me levantara y me fuera. Tuve intención de hacer esto último pero era una falta absoluta y total de educación, pensé que mientras ella hablara podría pensar en las cosas que iba a hacer en el resto del día y así quedaba bien con ella y no perdería mucho el tiempo. —Bien, imagínese, continuó hablando la hermana del Incorruptible, lo que fue para mí el haber crecido en un hogar en el que sólo había una voz y esa voz era la de mi padre, individuo ejemplo vivo del absolutista, que no admitía el más mínimo disentimiento. Mi madre era una simple pintura. El amo adoraba al hijo varón sólo por el hecho de ser varón, porque en realidad era un pusilánime, no hacía ningún deporte y era el solitario, del barrio primero y del colegio después. Yo, para que el amo notara, al menos, que existía, participaba en todos los deportes que me era permisible dado mi "sexo". Subía a todos los árboles del barrio y a diferencia del preferido del amo, siempre tenía a un grupo de muchachos alrededor mío, los más osados y decididos. Iba con ellos a bañarme al río cercano donde el padre de uno de los del grupo tenía un botecito de motor que sacábamos a escondidas y yo era la que lo arrancaba y manejaba.

El preferido, eso sí, era el mejor estudiante de la escuela y fue siempre el primero de la clase. Sabía perfectamente que mi padre lo quería, estudioso sí, pero más muchacho. Él siempre fue un joven viejo. Nada fuera de la religión y los estudios, le interesaba. Por mi parte sabía a los quince años todos los negocios de papá, cosa que a mi hermano nunca le interesó saber. El amo se reía cuando se daba cuenta de mis conocimientos de sus negocios, pero mi premio era un sólo toque en la cabeza.

Fue una noche a la hora de la comida, cuando me di cuenta de lo que sentía por mi hermano. El amo le dijo que en el verano que se aproximaba él iría a trabajar en la ferretería y después en los próximos veranos trabajaría en los otros negocios para que conociera todos y así cuando terminara sus estudios y él se retirara, conocería al dedillo todo los negocios. En ese momento supe que sentía un odio feroz por mi hermano. Sin que me vieran, he sido siempre muy hábil en el disimulo, dejé caer mi sopa que estaba hirviendo en sus muslos. Sé que se los tuve que haber quemado, pero ni una queja salió de sus labios. Ahora le llaman a ese proceder estoicismo, pero a esa edad lo llamé y todavía llamo cobardía. Dos días después de aquel episodio vino a hablarme a mi cuarto, me dijo una serie de sandeces de que él trataría de hacer feliz a papá aunque nada le interesaban los negocios de él y que yo nada tenía que preocuparme, porque él nos haría felices a todos. Habló una serie de tonterías extraordinarias y no mencionó para nada el episodio de la sopa caliente en sus muslos, los cuales todavía se veían, rojos de la quemadura que sufrieron. Cuando cerró la puerta dejándome sola, me reí como nunca antes ni después, era un redomado imbécil. Lo odié con toda mi alma.

Mi madre solamente rezaba y se ocupaba de que al amo se le sirviera adecuadamente y que la casa estuviera limpia, de lo demás se ocupaba la amiguita de mi hermano "Peluca", ella decidía lo que se comía, ella colocaba a las criadas, ella compraba las flores que adornaban el comedor y ella me vio, fue la única de la casa. Se llevaba de lo más bien con el imbécil de mi hermano. Dios los cría y ellos se juntan. Supe cuando mi padre, pensando que mi hermano era homosexual, le pagó a una artística mediocre para que lo sonsacara. Esperé ansiosamente el resultado, pero la mujer dijo que lo que le pasaba a mi hermano era que era muy católico. Mi padre no quedó muy convencido y le puso un policía para que lo siguiera. A los pocos días el policía rindió su informe: Mi hermano era muy católico y cumplía a cabalidad con lo que esta religión preceptuaba. No tenía amigos a excepción de un muchacho con el que hablaba mucho el cual tenía una novia con la que realizaba el acto sexual en el portal de su casa, cuando los padres de ella se acostaban. Este fue el informe del policía. No sé si le habrá hablado de ese amigo, su único amigo. Éste era tan imbécil, o quizás más imbécil que él, imagínese que murió en Europa en una guerra que nada le interesaba y que nada sacaría de ella. Como se habrá podido dar cuenta, de mí nadie se ocupaba, de mis amigas que, por otro lado, eran inexistentes; de mis notas en el colegio, que a pesar del poco interés que demostraban en mí, no lo hacía mal. Me regalaban, en mi santo, cumpleaños y día de reyes, como algo mecánico, muñecas, muñecas que yo depositaba en mi cajón de juguetes, nunca jugaba con ellas, y ellos, como Ud. supondrá, nunca se preocupaban de mis juegos ni de mis compañeros de juegos. Cuando ya fui mayorcita suspendieron los regalos de muñecas y empezaron a regalarme vestidos, vestidos que generalmente cambiaba por pantalones y blusas, indumentaria más apropiada, para las clases de juegos en los que intervenía y también para no diferenciarme de con quien los jugaba. Pero a nadie en mi casa le importaba, no notaban que siempre andaba vestida con pantalones, digo, a nadie excepto a la cretina de Peluca, pero aun en su caso lo hacía por odio y no por cariño; por odio, porque accidentalmente la vi una noche quitándose una peluca al acostarse; a la noche siguiente llevé a mi hermano a la cocina, desde donde la había visto, para que la viera pero como siempre, este echó a perder todo cuando empezó a decirme, después de verla, que eso era una invasión a su privacidad y que nos debíamos de ir. Peluca nos oyó y reprendió. Yo le empecé a gritar, ¡peluca, peluca! Luego supe que al día siguiente, mi hermano, le había pedido disculpas a la criada y autorización para llamarle Peluca. Ésta complacidísima lo autorizó y hasta le dijo que le gustaba el mote. Como comprenderá yo, sin autorización de ninguna clase, la empecé a llamar así también. Cuando él la llamaba peluca parecía, como en todo lo que decía, que la miel salía de su boca. Mi peluca era de odio, de algo que tenía sobre ella, de que conocía algo de ella que no quería que se conociese. En una palabra, me hacía sentirme superior a ella. Un día estudiamos en mi clase de Anatomía que una de las consecuencias de la sífilis era la caída del cabello, nunca me he sentido tan satisfecha de adquirir un conocimiento nuevo porque sabía que lo utilizaría en contra de ella. Esa misma tarde tuve la gran oportunidad. Me la encontré en el patio de la casa y le dije que yo sabía el por qué ella no tenía pelo, ella me miró asombrada.

Le dije que ella tenía o había tenido sífilis. Tuvo que sentarse la diabólica vieja. Nunca los tímidos pueden comprender el placer de los osados. Usted no sabe lo que es ir a las reparticiones de premios en el colegio y ser todos los elogios para mi hermano el brillante, el primero de la clase y yo que quedaba entre las diez primeras de una clase de treinta, sólo recibía un leve toque en la cabeza. Así crecí, en la selva que me rodeaba, selva de incomprensiones, de postergaciones y de ser ignorada. No me quedó más remedio que vestir el ropaje de la indiferencia, de la dureza, de la frialdad. Lo otro vino sin darme cuenta, no lo esperaba ni había pensado en ello.

Cuando mi hermano terminó el bachillerato mi padre tenía preparada una fiesta y le tenía varios regalos, pero el muy insensato destruyó todo, diciéndole que quería estudiar en el seminario y hacerse sacerdote. Para mi padre fue un jarro de agua fría. Suspendió la fiesta y todos los regalos que le tenía los devolvió. Era mi gran oportunidad para convertirme en la persona más importante de la casa como debió haber sido siempre. A mi hermano no le importó no recibir los regalos. Esa noche papá no le dejó rezar el rosario con mamá y lo mandó a la cama temprano. A su cuarto fue la sifilítica a consolarlo y confortarlo. Oí a través de la puerta como rezaban el rosario juntos. Hipócrita la vieja, después de haber llevado una vida tan degenerada.

Después, vino mi triunfo final porque mi hermanito insistió en meterse a cura y yo subí en la consideración del amo. Entonces fue cuando se dio cuenta de mi existencia y me empezó a hablar de los negocios y se asombró cuando se dio cuenta que sabía tanto como él. Cuando comprendí que iba depositando en mí cada vez más confianza aproveché para, poco a poco con medias verdades y mentiras, intensificarle el desprecio que sentía por su hijo. Logré que no le hablara y que el día en que entró al seminario, no lo acompañara. El tonto de mi hermano nunca se dio cuenta que todo había sido planeado por mi. Fueron con él mamá y Peluca.

Ahora sólo me quedaba controlar todo el capital, para cuando papá muriera, dejar a mi hermano sin nada.

Todo parecía salir mejor que lo planeado. Hasta papá se enfermó gravemente y esto, pensé, facilitaría mis planes de controlar todo el dinero, pero, sin embargo, surgió un obstáculo inesperado: el administrador de los bienes de papá. Yo lo creía un simple administrador y por lo tanto que podía disponer de él a mi antojo si se oponía a mis planes, pero el viejo era algo más que un simple administrador, era socio en muchos de los negocios de mi padre y además, en una discusión grande que tuvimos por oponerse a algo que yo quería hacer, me dio a entender, aunque no claramente, que sabía todo lo mío. Desgraciadamente esto paró mis planes, porque si papá se enterara, o aun mamá, sería convertida en menos que nada. Tuve que soportar un nuevo quebranto en mis planes de dejarlo a él, a mi hermano, sin nada. Cada vez que iba a casa, un fin de semana, trataba de que estos fueran los días más amargos de su existencia para lo cual sólo tenía que envenenar a mi padre un poco, dos o tres días antes de su llegada. Creo que mamá llegó a odiar los días que él se pasaba en casa, porque papá se ponía imposible hablando mal de los curas. Hablaba barbaridades de ellos. Inventaba tantas atrocidades que si no fuera que sabía que molestaban a mi hermano, me hubiera reído. Un día a la hora de almuerzo, dijo tantas atrocidades que mamá, la pintura en la pared, se levantó y se fue a su habitación. Entonces papá se calló. Yo temblé porque sabía que papá quería tanto a mamá que si ésta se lo propusiera él cambiaría de actitud para con su hijo, pero ella no sabía el gran poder que tenía. Entonces actué rápido, tenía que hacerlo si no quería que todo lo que había hecho para destruir a mi hermano, se fuera por la borda. Determiné hablar con mi hermano y hacerle ver que nadie lo quería en la casa excepto mamá y que aun a ella, que lo quería tanto, sus visitas no la hacían feliz.

Cuando se lo dije, me contestó que estimaba que con el tiempo todas estas pequeñeces se irían superando y que no había por qué preocuparse. El muy tonto nunca comprendió que yo nunca dejaría que se superaran. Así pasé, con sus altas y sus bajas, todos sus estudios hasta que papá se enfermó gravemente. Excusándose en su enfermedad, papá le pidió a mamá que llamara a mi hermano al seminario. Comprendí que ésta era la oportunidad que yo esperaba. Sabía que papá, ignorante de la naturaleza de la enfermedad que lo aquejaba, le iba a pedir que dejara su idea de ordenarse sacerdote hasta que él se recuperara lo suficiente y pudiera atender los negocios de nuevo, pero también sabía que mi hermano, el muy tonto, no iba, por nada del mundo, a dejar sus estudios por lo que decidí jugarme el todo por el todo y le dije a papá que si mi hermano no dejaba el seminario, como sabía él se lo pediría, que lo desheredara. Mi padre, estoy segura, no había pensado en tal arma, para doblegar a mi hermano; porque le diré que en el fondo mi padre era un débil de carácter. Pero parece que, debido a mis consejos, en la entrevista que tuvieron los dos, y que me contó mamá, utilizó el arma de la desheredación, porque mi estúpido hermano se mostró titubeante entre quedarse en la casa y sus exámenes finales. Yo no lo vi y no lo vi porque sabía que lo hacía sufrir. Siempre se consideró más importante que yo. Primero porque era la locura de mis padres, y luego por sus notas en el colegio y en el seminario. Tan buenas notas tuvo en éste que lo mandaron a estudiar a Italia o a España que nunca me interesó saber a donde fue; pero se sentía aún más importante porque me dio a entender que él sabía todo lo mío. Un día me vino a hablar de que Dios nunca nos daba una cruz que no nos fuera posible llevar y si nos daba un vicio por otro lado nos daba una voluntad más fuerte que el vicio para sopreponernos a él. El muy imbécil decirme eso a mí. A él se lo dijo seguramente la perra de Peluca.

Cuando se ordenó sacerdote, algunos días después de muerto papá, sólo mamá y Peluca fueron a la ordenación. Luego me contó mamá, porque ya con la miserable de Peluca no hablaba, que todo había quedado muy bien y que mi hermano estaba radiante de felicidad. Esto me molestó más aún, porque en todo era bueno, el mejor, y todo, hasta lo mas nimio, lo hacía feliz. Yo, por el contrario, luchaba a brazo partido y no podía alcanzar la felicidad. Mis momentos felices eran pocos y escondidos. Uno de los muchachos con los que jugaba, que fungía como jefe del grupo, me pidió un día que lo masturbara, créame, no sabía cómo hacerlo, había oído a los muchachos hablar de eso y sabía lo que era, pero no sabía cómo hacerlo. Se lo hice porque el muchacho era el que me defendía del resto del grupo, habían tratado en una oportunidad de tocarme y quitarme la ropa y él se los impidió. Todos los días que salíamos en grupo nos quedábamos rezagados y tenía que hacérselo. Hasta que un día cansada de esa cochinada le dije que no se lo haría más. Entonces se enfureció conmigo y me empezó a insultar, luego llamó a los otros que, entonces me di cuenta, se escondían para verme hacerle eso a él. Se empezaron a burlar de mí y a llamarme... usted se podrá imaginar. Sabe usted lo que se me ocurrió hacer ese mismo día, pues ir a buscar a su casa a cada uno de ellos y golpearlos. Así lo hice y, créame, cada vez que golpeaba a uno, sentía una gran satisfacción. Golpeé a todos, menos al jefe del grupo, era el único más fuerte que yo. Iba a decírselo a mi hermano, pero seguramente me hubiera invitado a rezar por el alma de todos ellos y además me hubiera mandado a que me confesara inmediatamente, era inútil decirle nada. Pensé en decirle al jefe del grupo que se lo haría de nuevo y cuando más entusiasmado estuviera cortarle el órgano de raíz con un cuchillo. Mil cosas pensé. Sabía que tenía que hacerle algo, algo que le doliera y que hiciera que se acordara de mí por toda su vida. Vino a mi mente que su papá trabajaba en uno de los negocios de mi padre y determiné empezarle a hablar a mi padre mal de él hasta lograr que lo botara. Esa misma noche empecé, pero cometí un error cuando dije que había un empleado que dormía la siesta en la trastienda y que volvía a trabajar después de las tres. Lo primero que hizo papá fue preguntarme el nombre del mismo, yo se lo dije, pero entonces me preguntó que en qué tienda trabajaba y no lo sabía. Mi hermano que ya estaría rezando para que nada le pasara a ese empleado, me miró sorprendido, y mi padre me recriminó por hablar sin fundamento. Yo le contesté que me lo habían dicho y mi padre me dijo que sólo se acusaba a alguien cuando se estaba seguro. Había perdido la primera batalla pero no la guerra. Ahora tenía que averiguar más sobre él, y con quién mejor que con el hijo. A la tarde siguiente, después del colegio lo fui a buscar a su casa. Vivía cerca del río, en un barrio de gente pobre. Conocía la casa perfectamente porque él me la había señalado en varias ocasiones diciendo luego que la comparara con la mía y se reía. Mi plan consistía en hacerle lo que el quisiera, para sacarle todo lo posible de su padre, para después destruirlo. Cuando llegué a su casa había una muchacha tirada en el suelo del portal jugando con un gatico. Me vio y no paró de jugar ni me preguntó nada. En vista de su actitud toqué a la puerta de la casa. Entonces fue cuando me dijo que no había nadie ni su hermano.

—Yo lo quería a él— le dije. Ella, jugando con el gatico, contestó que él estaba pero que había dicho que si ella lo venía a buscar que dijeran que no estaba.

—Sabes, te tiene miedo. Se enteró de lo que les has hecho a sus amigos. En el fondo es un cobarde, me pega a mí a escondidas de papá porque le tiene miedo a él. No sirve para nada.

Sentí un gran placer en que me temiera, ahora lo haría sufrir más. Me iba a ir, pero algo tenía esa muchacha que me llamaba la atención. Me senté en el suelo del portal y le pregunté, —¿y por qué te pega?

—Porque dice que yo soy diferente.

Tenía un pelo rubio muy bonito y me le quedé mirándolo, tanto, que se dio cuenta y me preguntó qué miraba. Yo le dije que su pelo que era muy bonito.

Tan bonito como dicen que era el anillo del obispo que ordenó a mi hermano. Sólo lo dejaron pasarse dos días con mamá antes que lo mandaran de auxiliar a una parroquia en un pueblo tan pobre que, según se enteró mamá, no recaudaban lo suficiente ni para el desayuno. Esto me puso triste porque sabía que mi hermano estaría en la gloria y yo lo que quería era que sufriera. Se imagina usted que en una ocasión mamá le mandó no sé que cantidad de dinero y él se la devolvió íntegra con una nota diciéndole que si lo autorizaba, él podía utilizar ese dinero en obras de caridad ¡ y pasando hambre! es que era un cretino. Después vino a despedirse de mamá porque lo mandaban a estudiar Filosofía, o algo de eso que estudian ellos, a Roma o Madrid. Años sin volver y yo contentísima, porque ahora ya mamá dependía de mí para todo, la ignorada pasaba a primer plano. Claro, quedaba la vieja Peluca, pero ya ésta no era lo mismo. Estaba más delicada que mamá. Mamá la cuidaba a ella y la atendía como si fuera de la familia; yo siempre trataba de hacerle ver que no era más que una criada. Quería que ella la pusiera en uno de los asilos de ancianos que mantenía la ciudad e insistí en eso más de lo debido, siendo este otro error de mi parte. Aunque usted no lo crea por lo que le he dicho, mamá era más difícil de convencer que papá. Mi insistencia hizo que mamá agregara una cláusula a su testamento dejándole una mensualidad a Peluca, suficiente para que pudiera pagar el asilo mantenido por una orden religiosa que ella conocía. La pintura no era tan pintura. Me quitó el placer de botar a esa vieja y que tuviera que pedir limosnas en sus últimos años, era una vieja mala. Claro que yo no sabía que mi hermano iba a disponer a la muerte de mamá que se le diera a ella la cuarta parte de lo que le había correspondido a él. Inaudito, la vieja esa vivió sus últimos años mejor que nunca antes. Según lo que las monjas del asilo me informaban, creyendo que a mí me interesaba, repartía sus cosas entre las otras viejas, convirtiéndose en poco tiempo en la mascota del asilo. Cuando me anunciaron su muerte no fui al asilo ni contesté ninguna llamada del mismo. Nunca le perdoné que me hubiera visto. Recuerdo sus ojos, me miraban diciéndome: dependes de mí de ahora en adelante. Esa muchacha de la que le hablé, hermana del jefe del grupo con el que salía a jugar, y yo nos hicimos amigas. Éramos de la misma edad, pero tenía mucha más experiencia que yo. Ella iba al colegio público y yo a uno de monjas, pero estudiábamos juntas, yo le enseñaba todo lo que en mi colegio me enseñaban que era mucho más de lo que le enseñaban a ella. La empecé a llevar a casa y a mamá le gustó. Nos cerrábamos en mi cuarto y allí nos poníamos a conversar, como hacía mi hermano con su único amigo, el que fue a la guerra, claro que de lo que hablábamos era distinto. Ellos de filosofía, de política y novelas; nosotras de algo más substancial: de vestidos, que le encantaban a ella, de películas y de alguna que otra novela que hubiéramos leído. Empezamos a salir juntas y yo la llevaba a cines de estrenos para que no tuviera que esperar tres y cuatro meses para ver la película en un cine de barrio. Ella en cambio me introdujo en el enorme, y completamente ignorado por mí, mundo de la moda. Aunque era pobre sabía mucho de modas. La llevé a la tienda donde mamá me compraba los vestidos, se quedó encantada, no podía creer tanta belleza. Le compré, en la cuenta de mamá, dos vestidos. Sé que ese fue un día especial para ella. La llevé a casa para que se pusiera los vestidos con el maquillaje y cosas que mamá me regalaba y que yo nunca usaba. La ayudé a cambiarse los vestidos y me sentí alegre, no por haberle comprado los vestidos, qué me importaba a mí, sino por algo que no podía determinar, aunque muy pronto sabría que cosa era. Lo mismo que me pasó con mi hermano, que al principio no sabía lo que sentía por él hasta que descubrí que lo odiaba. Pero lo que sentía ahora sabía que era distinto, esto que sentía me hacía buscarla, querer su compañía.

Cuando terminó sus estudios en Europa, lo mandaron de nuevo para aquí. Me enteré cuando un día llegué y la criada me dijo que mi hermano me había llamado por teléfono, que estaba en la ciudad, y que había dejado un teléfono para que le devolviera la llamada. Me horroricé. Cambié de número de teléfono inmediatamente y lo puse privado, además di órdenes terminantes para que, en el caso de que mi hermano viniera preguntando por mí, que le dijeran que no estaba y que lo trataran groseramente para que se diera cuenta que su presencia no era del agrado mío ni de nadie en la casa. No vino o por lo menos no me enteré ni lo pregunté.

Pues sí, me sentí alegre, porque me gustaba ver sus formas, su color y como se quitaba la ropa, era una elegancia especial, cada movimiento suyo me gustaba. Después no me molestó más hasta que me enteré que había dejado el sacerdocio, entonces empezaron mis preocupaciones. Sabía perfectamente que trataría de verme y pedirme la parte de su herencia. Estaba segura que ahora trataría de desquitarse de todo el tiempo que había perdido. Querría andar con mujeres, tomar, vestirse, y todo eso cuesta y su dinero lo tenía yo. Decidí irme lejos, yo sabía que le tendría que dar algo de su herencia, pero tendría que gastarse en abogados y le llevaría tiempo. Me fui a España en donde pasé un tiempo extraordinario, más por imaginarme los trabajos que estaría pasando mi hermano para lograr coger algo de la herencia, que por mi estancia en sí; aunque le diré que no la pasé muy mal. En España conocí a alguien que me hizo sentir de nuevo vivir, aunque no fui feliz porque supe desde el principio que cuando regresara a Madrid su esposo, estaba destacado en África, todo se acabaría entre nosotras, como así fue. Como usted sabe la felicidad, para que exista de verdad, ha de ser, o por lo menos ha de creerse que es, permanente. Sin embargo, ya ve usted, nada hay que sea permanente. La separación no me acongojó, primero porque ella me lo dijo desde el principio, y porque yo tenía a quien regresar; regresaría a la que alegando mil razones, de mamá enferma y nadie quien la cuidara, etc. no quiso viajar conmigo y, segundo, porque me lo imaginaba a él sufriendo tratando de buscar dinero para subsistir, seguramente estaría andando con mujerzuelas.

En el tiempo que estuve en España, preparando mi regreso, me sentí de nuevo acompañada por mi gran y única amiga: la aflicción, en cuyos brazos había pasado toda mi niñez y adolescencia.

Cuando regresé y pregunté por mi hermano, me extrañó sobre manera que no hubiera ido al administrador a pedir nada ni hubiera tratado de ponerse en contacto conmigo. Me dijeron que vivía en una inmunda pocilga en el ático de una casa en la parte vieja de la ciudad. Ahora comprendía menos a ese idiota. No encontraba razón para que viviera en la miseria ahora que había dejado de ser cura. No lo comprendía, a no ser que ya estuviera acostumbrado a vivir en ella después de tantos años de vida religiosa. Pero no tenía tiempo de preocuparme mucho de él ni de su incomprensible conducta, porque ella no era la misma. Había muerto su mamá que era lo que más quería, siempre me lo había dicho, y viéndose sin ella y sin mí, sufrió mucho y la muy traidora buscó a otra para sentirse menos triste. Sabía que la ganaría de nuevo, haciéndole regalos, enseñándole lo que había aprendido en nuestra madre Europa y, si necesario fuera, y sólo en último extremo, ahora que había muerto su mamá, mudándola para mi casa, en donde habíamos estado juntas y donde Peluca, la vieja sátrapa, nos descubrió haciéndolo la primera vez. Yo sabía que la batalla sería algo dura porque, la otra la había consolado en su momento de tristeza y esto, he leído, nunca se olvida, además tendría que luchar contra la natural tendencia a la fidelidad de mi amiga. Esta es otra de las cosas que le debo a mi hermanito, porque si no me hubiera ido a Europa no tendría que haber luchado tanto por recuperarla, porque antes ella era sólo mía. Al fin, después de semanas de lucha sin cuartel, en donde utilicé todas las armas que disponía, se mudó para mi casa. Vivimos relativamente felices, aunque ella no me hacía olvidar a aquella española que tanto me había dado y enseñado. Ella se ocupaba de la casa y corría con las criadas, era feliz y sometida a mí en todo. Su padre había muerto dos años antes de que su madre muriera, y su hermano seguía viviendo en la misma casa que su padre había comprado con un préstamo de papá, a cuyo otorgamiento me opuse, porque sabía que en definitiva lo iba a beneficiar a él, pero mi oposición fue infructuosa. Se había casado y tenía cinco hijos y para nada se ocupaba de su hermana y sin embargo le debe el trabajo que tiene a ella. Había perdido el trabajo que tenía, al declararse en bancarrota la compañía. Esto debió haber sido un golpe terrible para él, trabajaba allí desde que había terminado el colegio. Esta situación me puso en la mano el poder vengarme de él por aquél episodio de nuestra niñez. Ya usted ve por mucho que había tratado de hacerlo, nunca se me había presentado la oportunidad y ahora venía en bandeja de plata. A través de conversaciones aparentemente ingenuas con ella me enteraba de los lugares en donde él había solicitado trabajo, si era en algunos de los negocios de la familia me oponía renuentemente a que le dieran trabajo y si lo solicitaba en otras empresas, les mandaba cartas con el membrete de algún negocio de la familia por las que les decía 'sobre la falta de responsabilidad y honradez del solicitante. Un día su hermana me dijo que él le había pegado por que no quería salir con un amigo de él que estaba loco por ella. Para que se sintiera bien le dije lo que estaba haciendo para perjudicarle, y desde ese día nunca más habló sobre ninguna otra solicitud de trabajo hecha por su hermano y por eso fue que consiguió trabajo.

En todo este tiempo, inclusive estando en España, no pasó un día sin que me acordara de mi hermano, ¿sería feliz?

Ahora me sentía inquieta. ¿Cómo podría ser feliz viviendo en una buhardilla? Un día me informaron, personas a las que pagaba, que había vuelto a entrar en el sacerdocio y que lo habían nombrado nuevamente profesor en la universidad de su orden. Fue un golpe extraordinario. ¿Sería feliz de nuevo? Como no tenía medios de averiguar nada, me dispuse a hacer un terrible sacrificio: lo llamaría. Le dije a ella lo que iba a hacer y me rogó que no lo hiciera, que lo dejara, que no pensara más en él, que reflexionara. Que él era un ministro del Señor. Me reí, nunca habíamos hablado de religión ella y yo. Resultó que mi amiga era una creyente devota que se había separado provisionalmente de la Iglesia debido a la incomprensión de ésta con aquéllos que no eran "normales". Me reí mucho. Era otra hipócrita... cuando menos. Pero, ahora no tenía tiempo de pensar en ello. Dejé pasar algunos días, no por consideración a ella sino porque tenía que hacer acopio de fuerzas para llamarlo. Al fin un día lo llamé y qué cree que me dijo el muy idiota, me dijo con voz entrecortada por la emoción que mi llamada colmaba la copa de sus alegrías. Que todo le estaba saliendo perfecto y que hablar conmigo era una de las cosas que más deseaba. Lo invité a almorzar, y como esperaba, aceptó de inmediato. Se lo conté a ella y le expliqué que sería mejor que ella permaneciera en nuestro cuarto. No contestó, ella era dócil de nacimiento. Llegó mi hermano, como siempre muy puntual, y me abrazó teniéndome entre sus brazos tanto tiempo que logró hacerme sentir mal. Volví a oler su cuerpo, ese olor que desde que éramos niños me repelía. Recuerdo que le pregunté a Peluca y a mamá por separado, si ellas sentían el mismo olor y me dijeron que no olían nada especial en él. Nos sentamos y no me dejaba libre las manos. Sólo repetía: "que tantos años y tantas cosas habían pasado que. . . pero que podíamos empezar de nuevo y que teníamos tanto en común que. . ." No necesité más, estaba segura, ahora, de que él era feliz, por lo tanto mi infelicidad creció como por encanto; me molestaba tenerlo cerca de mí. Tantas escenas de nuestra vida juntos, vinieron a mi mente que dudé que pudiera comer con él en la misma mesa. Algo que yo no había pensado surgió. Pidió que le permitiera ver su cuarto. Me horroricé. Había botado todo lo de él, hasta lo había pintado para quitarle ese color gris de funeraria con el que siempre pintaban su cuarto a petición de él. No sabía qué hacer y le eché la culpa al servicio doméstico, "pues en estos tiempos", dije, "es difícil encontrar a alguien que, valiendo la pena, dure en la casa, por eso tu cuarto, como nadie lo usa, sólo lo hago limpiar pocas veces al año. Cuando vengas a comer, que será pronto, te enseñaré tu cuarto y otras cosas que me he tomado el atrevimiento de hacer en nuestra casa sin consultar contigo". Sabía que esa explicación era suficiente para que olvidara su estúpido deseo. El muy necio se turbó, adoptando ese aire hipócrita de magnanimidad copiado, indudablemente, de Peluca. Hablamos de mamá y de Peluca y sus últimos momentos. Le dije que la había ido a ver con frecuencia y que me había preocupado de su buen morir al pedirle a las monjitas, le llevaran diariamente un sacerdote para que le diera la santa comunión. Él oía esto embelesado. Pensaría que mi aparente vuelta a la religión se debía seguramente a sus falsos e hipócritas ruegos. Seguía siendo el mismo, era feliz. Yo estaba destrozada. Entonces fue que lo pensé, nunca antes había pasado por mi mente. Él hablaba de algo de cuando éramos chiquitos y yo recriminándome por no haberlo pensado antes, tan fácil que hubiera sido. La criada vino para decirnos que la mesa estaba servida y fue cuando únicamente dejé de pensar en eso, me gustaba la idea, tenía que pensar más sobre ella. Al sentarnos a la mesa estuvo un tiempo interminable dándole gracias a Dios por el alimento que íbamos a ingerir y porque la familia, después de mil vicisitudes, se había logrado unir de nuevo, gracias a mí, dijo, que sobreponiéndome a todos los malentendidos, lo había llamado para invitarlo a almorzar. ¡Sería imbécil? Ha sido una de las tardes más aburridas que he pasado en mi vida. Repasó toda nuestra niñez y adolescencia, claro sin hablar de lo malo que me había hecho, algunas veces sólo y otras en combinación con la vieja arpía de Peluca. Cada episodio que mencionaba de nuestra niñez y adolescencia me traía a la memoria su actitud de no tratar de sobresalir sobre mí para que no me sintiera mal. ¿Quiere usted mayor humillación? Después de cansarse de recordar tiempos idos, los recordaba con complacencia porque sabía que me ofendía, me empezó a hablar de usted. Al principio creí que era para llenar de conversación la tarde que tan tediosa me resultaba, pero luego me di cuenta que no, que no era así, sino que quería que yo lo conociera a usted, es decir, que supiera de usted. Lo tenía a usted en más estima que al sacerdote amigo que había hecho tanto por él. Me dijo que lo había tratado por poco tiempo pero que había algo que los unía a ustedes. Me contó que a usted le había llevado aprender latín el mismo tiempo que a él en el seminario y que, en su caso, sus profesores se habían quedado asombrados. Fíjese que disimulada manera de humillarme, seguramente se acordaba de lo mucho que tuve que estudiar para pasar los exámenes de inglés y francés en el bachillerato. Dijo, en resumen, que a pesar del poco trato que habían tenido, sentía un gran afecto y cariño por usted, que le hacían parecer que se habían conocido por largo tiempo.

Me sentí obligado a interrumpirla para asegurarle que los sentimientos de su hermano hacia mí eran reciprocados en todo; que nunca había recibido tantas pruebas de afecto y de amistad de alguien, y eso, a pesar del poco trato que tuvimos. No continué hablando porque me dí cuenta que ella no le prestaba atención a lo que le decía. Nos mantuvimos sin hablar por varios segundos, sabía que ella no se había dado cuenta que yo había dejado de hablar, tanto se oponía a oír hablar bien de su hermano.

—Al despedirnos, continuó hablando como si yo no hubiera dicho nada, le recordé que estaba invitado a comer el próximo jueves única noche de la semana que, me había dicho, tenía libre, porque entre sus clases y reuniones con los grupos de la Federación de la Juventud Católica, las Hijas de María y otras organizaciones, se pasaba toda la semana ocupado. Cada minuto de su tiempo contaba, yo sin embargo tenía que inventar cosas para no aburrirme, pero usted me dirá, ¿quién ha sido el culpable de todo? Me contestó que si yo no tenía inconveniente, las comidas debían ser todas las semanas para así rehacer el tiempo perdido.

Cuando cerré la puerta ya lo tenía todo planeado. Lo único que no sabía era si hacerlo yo sola o pedirle ayuda a ella. Tenía miedo por la religiosidad que había demostrado. A esa religiosidad, se debían seguramente sus constantes escrúpulos y críticas por el modo en que yo trataba a las criadas y a todo aquél que viniera a importunarnos en la casa. El arma sería fácil de conseguir. Había leído novelas que la utilizaban. La compraría en una farmacia distante de casa y se la pondría en la comida del próximo "gran banquete". Tendría que dejar salir a la cocinera ese día, pero esto parecería raro, además, cualquiera de las otras dos criadas podría cocinar en caso de necesidad, necesidad provocada por mí sin ningún aparente fundamento. Tendría que darles el día franco a todas y pedirle a ella que cocinara ese día. La tentaría con darle la parte de la herencia que le correspondía a mi hermano, pero corría un riesgo y éste era que, cuando se viera con dinero, se me fuera. Yo sabía que ella había regresado a mí por el simple hecho de lo bien que vivía conmigo, vida que ella nunca soñó llevar. Al principio estaba muy triste, sabía que era por lo que había dejado, una pobre desgraciada como ella. Sé que me es fiel, aunque nunca le perdonaré su traición durante mi ausencia. Ella dormía la siesta, me gustaba verla dormir, su sueño era plácido, sereno. Yo me sentía contenta, había encontrado la solución a todos mis males. ¿Por qué no lo habría pensado antes? Cuántos quebrantos me habría evitado. Me acosté al lado de ella. Me sentía como si me hubiera quitado un gran peso de encima. Estuve estudiando por varios días el plan. No podía cometer un error por ninguna razón y menos por apresurarme en ejecutar lo planeado. Tenía que hacer un intenso y exhaustivo estudio de la situación, de las circunstancias que la rodeaban y de los posibles obstáculos que pudieran surgir. Sería yo sola la que ideara, estudiara y ejecutara. Yo sería la única que iría a la cárcel, inclusive al patíbulo si fracasara. Tenía que pensar hasta en los posibles imponderables. En más de una ocasión cambié lo planeado, es decir, cambié el cómo hacerlo pero nunca tuve la menor duda de que tenía que hacerlo. Estudié en las enciclopedias los venenos más comunes y como usarlos. Fui a bibliotecas para profundizar más mis conocimientos. Después de todo ese estudio, llegué a la conclusión que utilizaría el veneno más comúnmente usado porque su compra no dejaría el menor rastro. Pero de todas maneras iría a una farmacia de algún pueblo cercano para evitar que me reconocieran en un futuro, si algo salía mal. La noche anterior al día de la gran cena, me acosté temprano, me quedé dormida casi enseguida y dormí, sin despertarme, toda la noche. Fue un sueño sereno y reparador. Al despertar me sentía aliviada del gran peso que me había sumido en la tristeza por tantos años. La miré a ella, todavía dormía. Me levanté y empecé a buscar en la guía de teléfonos las farmacias en los pueblos cercanos. Escogí una, no quedaba a más de cuarenta y cinco minutos de mi casa. Me vestí y salí antes de que ella se despertara. En el camino me di cuenta de la hora, eran las seis y media. Había sido un error. Ahora todos se preguntarían qué hacía yo a estas horas en la calle. Había que actuar normalmente, sin levantar el más mínimo recelo o sospecha. No podía permitir que nadie desconfiara de mis "buenas intenciones". Estaba segura que todo saldría bien. Él no tenía más parientes que yo y la Iglesia y ésta, se apartaba siempre de los escándalos; por eso y por no haber alguien, aparentemente, con motivos para matarlo, estoy segura, que no habría investigación de ningún tipo. Todo dependía de que obrara de acuerdo con lo que había planeado.

Cuando llegué a la farmacia escogida, me di cuenta que sería fácil hacerme con el veneno porque la farmacia estaba en total decadencia y no pondrían mayores obstáculos a lo que comprara. Tuve la suerte que la farmacia había estado de guardia la noche anterior y permanecía abierta. Compré varias cosas y cuando fui a pagar, le pregunté, al que me imaginé fuera el dueño, si tenía un veneno efectivo para las ratas. Le conté, con la cara que siempre pongo en estos casos, que habían invadido la casa y temía que un día nos comieran. El hombre se río y me dió un pomito y luego, muy apurado, me preguntó si había niños en la casa, le dije que no. Entonces me explicó, que el veneno era mortal no sólo para las ratas sino también para los humanos y que tenía que tener mucho cuidado en los lugares en que lo usara y que no lo pusiera cerca de donde tenía almacenada la comida. Camino al automóvil me sentía tan feliz que me entraron enormes ganas de gritar y lo hice. Cuando entré en el carro con los ventanillas subidas, grité. Fue un grito que salió de mis entrañas. Era un grito de liberación. Ya no sería más infeliz, terminaría con el monstruo que me había estado devorando durante toda mi vida. Ahora tenía que controlar mi alegría y evitar que alguien viera el pomito del veneno.

Cuando llegué a casa, bajé todo lo que había comprado menos el pomito del veneno que puse en la guantera del automóvil, con la seguridad que nadie lo vería. Al entrar en la casa me encontré que todas estaban levantadas y preguntándose por mí. Las calmé diciéndoles que al no poder dormir me había ido a pasear en el automóvil. Ella sabía que más nada podía sacar de mí, pero me miró incrédula. No le dí más importancia al asunto, pero para mi sorpresa, esa tarde ella me dijo que no le importaba adonde había ido, pero que me pedía que no le mintiera y que si ya no la quería que se lo dijera. Me reí y me dieron ganas de contarle todo porque, debe usted saber que la alegría no existe si no se comparte, pero en este caso era peligroso, porque si algo salía mal, mi vida terminaría en un lugar nada agradable. No compartiría esta alegría.

Lo llamé a su nueva iglesia para recordarle la comida. Tenía que estar segura que no se le olvidara, porque si algo pasaba y no podía asistir, tenía que esperar una semana entera para que pudiera venir. El teléfono estaba ocupado y lo estuvo por quince minutos. Decidí sacar el veneno del automóvil, había resuelto ponerlo en el postre que era su preferido: el flan. Se lo haría yo como Peluca lo hacía, esta sería la excusa que utilizaría para meterme en la cocina. De esta manera no tendría que darle el día a ninguna de las criadas, sería menos sospechoso. Le diría que, como cosa grandiosa, le había hecho el flan, yo misma, a la Peluca. Ya veía su cara satisfecha, llena de beneplácito. El veneno lo pondría en el almíbar, seguramente sabría mal, pero él se la tomaría de todos modos para no ofenderme. Me acordé de un día de los Inocentes que la cocinera, mamá y la vieja arpía de Peluca le hicieron una croqueta de tela con un poco de pollo y las tres estaban pendientes de él y de su reacción para gritarle ¡inocente!, y él como estaba la cocinera delante, para no herirla, al no poder cortar la croqueta, se la metió entera en la boca.

Ya lo tenía todo preparado, el flan hecho y puesto en el refrigerador. Ahora lo llamaría de nuevo. El párroco contestó y cuando pregunté por él, supe que algo no andaba bien. Le dije que lo llamaba su hermana. 0í el ruido del teléfono al caérsele de las manos. No sabía qué decirme, balbuceaba, finalmente me dijo que desgraciadamente mi hermano había muerto en un accidente esa misma mañana. Grité, el cura creyó que era del dolor que me había causado, pero no, era de rabia. Yo lo quería matar, mucho me había hecho sufrir. Colgué el teléfono llena de una frustración amarga. Lloraba a gritos. Me fui a mi cuarto, la desesperación que sentía era tremenda. Allí estaba ella, me abrazó y preguntó que qué me pasaba. No podía contestarle, no me dejaban las lágrimas. Al fin haciendo un esfuerzo extraordinario pude contarle lo de la muerte de mi hermano. Ella se asombró de mi reacción. No suponía que me pudiera afectar tanto. Como siempre, la muy tonta, no podía darse cuenta de mis verdaderos sentimientos. Siempre fue muy elemental, superficial. Le conté llena de ira que lloraba no por su muerte sino porque yo no lo hubiera podido matar. Se quedó mirándome incrédula. Entonces fue cuando cometí el error de contarle todo, incluyendo lo del veneno. Le digo error, porque esa misma tarde se marchó. Sí, se fue, me dejó sola, no era más que una de esos débiles que no pueden afrontar un hecho fuera de lo normal. Hoy estoy derrotada, no lo pude matar, y ella, por él, se me fue.

Ahora le puedo explicar la verdadera razón que tuve para invitarlo a usted a mi casa. Al no poderlo matar a él, porque el destino se opuso, quise decirle todo a usted, que tan ligado a mi hermano estaba, para que Ud. supiera quien era en realidad mi hermano y así destruir la imagen que de él tenía Ud. Además sé que él habrá oído nuestra conversación y que ésta lo habrá hecho infeliz de nuevo.

Me levanté, nada tenía que decir. Ella, sentada todavía, me miraba asombrada por mi actitud. Le extendí la mano para ayudarla a levantarse del sofá acolchonado en que estaba sentada, la rehusó con un gesto violento y se puso de pie. Noté que quería decirme algo, pero no le di oportunidad. Caminé hacia la puerta, ella detrás de mí. Sentí miedo. De ella, podía esperar cualquier cosa. Oí la puerta cerrarse. Estaba lloviendo furiosamente. Caminé hasta el automóvil. Mis lágrimas se confundieron con la lluvia que me mojaba la cara. Arranqué el automóvil y a toda velocidad salí de allí. El aguacero era fuerte, no se veía nada a través del parabrisas. No tenía puesto los limpia parabrisas. No los pondría. Una total inercia me invadió.

OTROS LIBROS PUBLICADOS EN LA COLECCIÓN CANIQUÍ (NARRATIVA: novelas y cuentos)

005-4 AYER SIN MAÑANA, Pablo López Capestany
016-X YA NO HABRÁ MAS DOMINGOS, Humberto J. Peña
017-8 LA SOLEDAD ES UNA AMIGA QUE VENDRÁ, Celedonio González
018-6 LOS PRIMOS, Celedonio González
020-8 LOS UNOS, LOS OTROS Y EL SEIBO, Beltrán de Quirós
021-6 DE GUACAMAYA A LA SIERRA, Rafael Rasco
022-4 LAS PIRAÑAS Y OTROS CUENTOS CUBANOS, Asela Gutiérrez Kann
023-2 UN OBRERO DE VANGUARDIA, Francisco Chao Hermida
024-0 PORQUE ALLÍ NO HABRÁ NOCHES, Alberto Baeza Flores
025-9 LOS DESPOSEÍDOS, Ramiro Gómez Kemp
027-5 LOS CRUZADOS DE LA AURORA, José Sánchez-Boudy
030-5 LOS AÑOS VERDES, Ramiro Gómez Kemp
032-1 SENDEROS, María Elena Saavedra
033-X CUENTOS SIN RUMBOS, Roberto G. Fernández
034-8 CHIRRINERO, Raoul García Iglesias
035-6 ¿HA MUERTO LA HUMANIDAD?, Manuel Linares
036-4 ANECDOTARIO DEL COMANDANTE, Arturo A. Fox
037-2 SELIMA Y OTROS CUENTOS, Manuel Rodríguez Mancebo
038-0 ENTRE EL TODO Y LA NADA, René G. Landa
039-9 QUIQUIRIBÚ MANDINGA, Raul Acosta Rubio
040-2 CUENTOS DE AQUÍ Y ALLÁ, Manuel Cachán
041-0 UNA LUZ EN EL CAMINO, Ana Velilla
042-9 EL PICÚO,EL FISTO,EL BARRIO Y OTRAS ESTAMPAS CUBANAS, José Sánchez-Boudy
043-7 LOS SARRACENOS DEL OCASO, José Sánchez-Boudy
0434-7 LOS CUATRO EMBAJADORES, Celedonio González
0639-X PANCHO CANOA Y OTROS RELATOS, Enrique J. Ventura
0644-7 CUENTOS DE NUEVA YORK, Angel Castro
129-8 CUENTOS A LUNA LLENA, José Sánchez-Boudy
1349-4 LA DECISIÓN FATAL, Isabel Carrasco Tomasetti
135-2 LILAYANDO, José Sánchez-Boudy
1365-6 LOS POBRECITOS POBRES, Alvaro de Villa
137-9 CUENTOS YANQUIS, Angel Castro
158-1 SENTADO SOBRE UNA MALETA, Olga Rosado
163-8 TRES VECES AMOR, Olga Rosado
167-0 REMINISCENCIAS CUBANAS, René A. Jiménez
168-9 LILAYANDO PAL TU, José Sánchez Boudy
170-0 EL ESPESOR DEL PELLEJO DE UN GATO YA CADÁVER, Celedonio González
171-9 NI VERDAD NI MENTIRA Y OTROS CUENTOS, Uva A. Clavijo
184-0 LOS INTRUSOS, Miriam Adelstein
1948-4 EL VIAJE MAS LARGO, Humberto J. Peña

196-4 LA TRISTE HISTORIA DE MI VIDA OSCURA, Armando Couto
215-4 AVENTURAS DE AMOR DEL DOCTOR FONDA, Nicolás Puente-Duany
217-0 DONDE TERMINA LA NOCHE, Olga Rosado
218-9 ÑIQUÍN EL CESANTE, José Sánchez-Boudy
219-7 MAS CUENTOS PICANTES, Rosendo Rosell
227-8 SEGAR A LOS MUERTOS, Matías Montes Huidobro
230-8 FRUTOS DE MI TRASPLANTE, Alberto Andino
244-8 EL ALIENTO DE LA VIDA, John C. Wilcox
249-9 LAS CONVERSACIONES Y LOS DÍAS, Concha Alzola
251-0 CAÑA ROJA, Eutimio Alonso
252-9 SIN REPROCHE Y OTROS CUENTOS, Joaquín de León
2533-6 ORBUS TERRARUM, José Sánchez-Boudy
255-3 LA VIEJA FURIA DE LOS FUSILES, Andrés Candelario
259-6 EL DOMINO AZUL, Manuel Rodríguez Mancebo
270-7 A NOVENTA MILLAS, Auristela Soler
282-0 TODOS HERIDOS POR EL NORTE Y POR EL SUR, Alberto Muller
286-3 POTAJE Y OTRO MAZOTE DE ESTAMPAS CUBANAS, José Sánchez-Boudy
287-1 CHOMBO, Cubena (Carlos Guillermo Wilson)
292-8 APENAS UN BOLERO, Omar Torres
297-9 FIESTA DE ABRIL, Berta Savariego
300-2 POR LA ACERA DE LA SOMBRA, Pancho Vives
301-0 CUANDO EL VERDE OLIVO SE TORNA ROJO, Ricardo R. Sardiña
303-7 LA VIDA ES UN SPECIAL, Roberto G. Fernández
321-5 CUENTOS BLANCOS Y NEGROS, José Sánchez-Boudy
327-4 TIERRA DE EXTRANOS, José Antonio Albertini
331-2 CUENTOS DE LA NIÑEZ, José Sánchez-Boudy
332-0 LOS VIAJES DE ORLANDO CACHUMBAMBÉ, Elías Miguel Muñoz
335-5 ESPINAS AL VIENTO, Humberto J. Peña
342-8 LA OTRA CARA DE LA MONEDA, Beltrán de Quirós
343-6 CICERONA, Diosdado Consuegra Ortal
345-2 ROMBO Y OTROS MOMENTOS, Sarah Baquedano
3460-2 LA MAS FERMOSA, Concepción Teresa Alzola
349-5 EL CIRCULO DE LA MUERTE, Waldo de Castroverde
350-9 UN GOLONDRINO NO COMPONE PRIMAVERA, Eloy González-Arguelles
352-5 UPS AND DOWNS OF AN UNACCOMPANIED MINOR REFUGEE, Marie F. Portuondo
363-0 MEMORIAS DE UN PUEBLECITO CUBANO, Esteban J. Palacios Hoyos
370-3 PERO EL DIABLO METIÓ EL RABO, Alberto Andino
378-9 ADIÓS A LA PAZ, Daniel Habana
381-9 EL RUMBO, Joaquín Delgado-Sánchez
386-X ESTAMPILLAS DE COLORES, Jorge A. Pedraza

4116-7 EL PRÍNCIPE ERMITAÑO, Mario Galeote Jr.
420-3 YO VENGO DE LOS ARABOS, Esteban J. Palacios Hoyos
423-8 AL SON DEL TRIPLE Y EL GÜIRO..., Manuel Cachán
435-1 QUE VEINTE AÑOS NO ES NADA, Celedonio González
439-4 ENIGMAS (3 CUENTOS Y 1 RELATO), Raul Tápanes Estrella
440-8 VEINTE CUENTOS BREVES DE LA REVOLUCIÓN CUBANA, Ricardo J. Aguilar
442-4 BALADA GREGORIANA, Carlos A. Díaz
448-3 FULASTRES Y FULASTRONES Y OTRAS ESTAMPAS CUBANAS, José Sánchez-Boudy
460-2 SITIO DE MÁSCARAS, Milton M. Martínez
464-5 EL DIARIO DE UN CUBANITO, Ralph Rewes
465-3 FLORISARDO, EL SÉPTIMO ELEGIDO, Armando Couto
472-6 PINCELADAS CRIOLLAS, Jorge R. Plasencia
473-4 MUCHAS GRACIAS MARIELITOS, Angel Pérez-Vidal
476-9 LOS BAÑOS DE CANELA, Juan Arcocha
486-6 DONDE NACE LA CORRIENTE, Alexander Aznares
487-4 LO QUE LE PASO AL ESPANTAPÁJAROS, Diosdado Consuegra
493-9 LA MANDOLINA Y OTROS CUENTOS, Bertha Savariego
494-7 PAPA, CUÉNTAME UN CUENTO, Ramón Ferreira
495-5 NO PUEDO MAS, Uva A. Clavijo
499-8 MI PECADO FUE QUERERTE, José A. Ponjoán
501-3 TRECE CUENTOS NERVIOSOS -Narraciones burlescas y diabólicas-, Luis Ángel Casas
503-X PICA CALLO, Emilio Santana
509-9 LOS FIELES AMANTES, Susy Soriano
519-6 LA LOMA DEL ANGEL, Reinaldo Arenas
5144-2 EL CORREDOR KRESTO, José Sánchez-Boudy
521-8 A REY MUERTO REY PUESTO Y UNOS RELATOS MÁS, José López Heredia
533-1 DESCARGAS DE UN MATANCERO DE PUEBLO CHIQUITO, Esteban J. Palacios Hoyos
539-0 CUENTOS Y CRÓNICAS CUBANAS, José A. Alvarez
542-0 EL EMPERADOR FRENTE AL ESPEJO, Diosdado Consuegra
543-9 TRAICIÓN A LA SANGRE, Raul Tápanes-Estrella
544-7 VIAJE A LA HABANA, Reinaldo Arenas
545-5 MAS ALLÁ LA ISLA, Ramón Ferreira
546-3 DILE A CATALINA QUE TE COMPRE UN GUAYO, José Sánchez-Boudy
554-4 HONDO CORRE EL CAUTO, Manuel Márquez Sterling
555-2 DE MUJERES Y PERROS, Félix Rizo Morgan
556-0 EL CÍRCULO DEL ALACRÁN, Luis Zalamea
560-9 EL PORTERO, Reinaldo Arenas
565-X LA HABANA 1995, Ileana González
568-4 EL ÚLTIMO DE LA BRIGADA, Eugenio Cuevas

570-6 CUANDO ME MUERA QUE ME ARROJEN AL RIMAC EN UN CAJÓN BLANCO, Carlos A. Johnson
574-9 VIDA Y OBRA DE UNA MAESTRA, Olga Lorenzo
575-7 PARTIENDO EL "JON", José Sánchez-Boudy
576-5 UNA CITA CON EL DIABLO, Francisco Quintana
587-0 NI TIEMPO PARA PEDIR AUXILIO, Fausto Canel
594-3 PAJARITO CASTAÑO, Nicolás Pérez Díez Argüelles
595-1 EL COLOR DEL VERANO, Reinaldo Arenas
596-X EL ASALTO, Reinaldo Arenas
611-7 LAS CHILENAS (novela o una pesadilla cubana), Manuel Matías
616-8 ENTRELAZOS, Julia Miranda y María López
619-2 EL LAGO, Nicolás Abreu Felippe
629-X LAS PEQUEÑAS MUERTES, Anita Arroyo
630-3 CUENTOS DEL CARIBE, Anita Arroyo
631-1 EL ROMANCE DE LOS MAYORES, Marina P. Easley
632-X CUENTOS PARA LA MEDIANOCHE, Luis Angel Casas
633-8 LAS SOMBRAS EN LA PLAYA, Carlos Victoria
638-9 UN DÍA... TAL VEZ UN VIERNES, Carlos Deupi
643-5 EL SOL TIENE MANCHAS, René Reyna
653-2 CUENTOS CUBANOS, Frank Rivera
657-5 CRÓNICAS DEL MARIEL, Fernando Villaverde
660-5 LA ESCAPADA, Raul Tápanes Estrella
670-2 LA BREVEDAD DE LA INOCENCIA, Pancho Vives
672-9 GRACIELA, Ignacio Hugo Pérez-Cruz
694-X OPERACIÓN JUDAS, Carlos Bringuier
697-4 EL TAMARINDO / THE TAMARIND TREE, María Vega de Febles
698-2 EN TIERRA EXTRAÑA, Martha Yenes — Ondina Pino
699-0 EL AÑO DEL RAS DE MAR, Manuel C. Díaz
700-8 ¡GUANTE SIN GRASA, NO COGE BOLA! (REFRANES CUBANOS), José Sánchez-Boudy
705-9 ESTE VIENTO DE CUARESMA, Roberto Valero Real
707-5 EL JUEGO DE LA VIOLA, Guillermo Rosales
711-3 RETAHÍLA, Alberto Martínez-Herrera
720-2 PENSAR ES UN PECADO, Exora Renteros
728-8 REGRESO DE ALICIA AL PAÍS DE LAS MARAVILLAS, René Ariza
729-6 LA TRAVESÍA SECRETA, Carlos Victoria
741-5 SIEMPRE LA LLUVIA, José Abreu Felippe
748-2 ELENA VARELA, Martha M. Bueno
755-5 ANÉCDOTAS CASI VERÍDICAS DE CÁRDENAS, Frank Villafaña
759-8 LA PELÍCULA, Polo Moro
769-5 CUENTOS DE TIERRA, AGUA, AIRE Y MAR, Humberto Delgado-Jenkins
772-5 CELESTINO ANTES DEL ALBA, Reinaldo Arenas
779-2 UN PARAÍSO BAJO LAS ESTRELLAS, Manuel C. Díaz

780-6 LA ESTRELLA QUE CAYÓ UNA NOCHE EN EL MAR, Luis Ricardo Alonso
781-4 TINA, Martha Bueno
782-2 MONÓLOGO CON YOLANDA, Alberto Muller
784-9 LA CÚPULA, Manuel Márquez Sterling
785-7 CUENTA EL CARACOL (relatos y patakíes), Elena Iglesias
789-X MI CRUZ LLENA DE ROSAS (cartas a Sandra, mi hija enferma), Xiomara Pagés
791-1 ADIÓS A MAMÁ (De La Habana a Nueva York), Reinaldo Arenas
793-8 UN VERANO INCESANTE, Luis de la Paz
797-0 A FLOTE, Polo Moro
799-7 CANTAR OTRAS HAZAÑAS, Ofelia Martín Hudson
800-4 MÁS ALLÁ DEL RECUERDO, Olga Rosado
807-1 LA CASA DEL MORALISTA, Humberto J. Peña